太空

[英]肖恩·亚瑟 编著

卢枫 译

【版权所有，请勿翻印、转载】

湖南省版权局著作权合同登记图字：18-2022-040

Copyright © Shaun Usher, 2021. First published in Great Britain in 2021 by Canongate Books Ltd. Copyright licensed by Canongate Books Ltd., arranged with Andrew Nurnberg Associates International Limited. Art direction and design: Rafela Romaya, 'Beyond' illustration © Tom Haugomat. Simplified Chinese edition copyright 2022 by Hunan Fine Arts Publishing House Co., Ltd in association with Penguin Random House North Asia. All rights reserved.

本书仅限中国大陆地区发行销售

"企鹅"及其相关标识是企鹅兰登已经注册或尚未注册的商标。
未经允许，不得擅用。
凡无企鹅防伪标识者均属未经授权之非法版本。

图书在版编目（CIP）数据

见字如面. 太空 /（英）肖恩·亚瑟 (Shaun Usher) 编著；
卢枫译. —长沙：湖南美术出版社，2022.9
书名原文：LETTERS OF NOTE：SPACE
ISBN 978-7-5356-9791-2

Ⅰ. ①见… Ⅱ. ①肖… ②卢… Ⅲ. ①书信集—世界
Ⅳ. ①I16

中国版本图书馆CIP数据核字(2022)第074022号

见字如面. 太空
JIAN ZI RU MIAN. TAIKONG

出 版 人：	黄　啸
编　著：	[英]肖恩·亚瑟
译　者：	卢　枫
策　划：	王柳润　瞿　力
责任编辑：	潘旖妍　姚　帆
责任校对：	何雨虹
出版发行：	湖南美术出版社
	（长沙市东二环一段622号）
经　销：	湖南省新华书店
印　刷：	湖南省众鑫印务有限公司
	（湖南省长沙市长沙县㮾梨街道梨江大道20号）
开　本：	787mm×1000mm　1/32
印　张：	5
版　次：	2022年9月第1版
印　次：	2022年9月第1次印刷
书　号：	ISBN 978-7-5356-9791-2
定　价：	28.00元

邮购联系：0731-84787105　邮编：410016
网址：http：//www.arts-press.com
电子邮箱：market@arts-press.com
如有倒装、破损、少页等印装质量问题，请与印刷厂联系调换。
联系电话：0731-86807567

2009年,一个庆祝书信这种老式通信方式的网站"lettersofnote.com"上线,"见字如面"计划随之诞生。从那时到现在,该网站已被访问超过一亿次。《见字如面》的第一卷于2013年10月出版。同年晚些时候,我们又举办了第一次"书信现场"活动,让世界顶级表演者为听众们现场朗诵精彩书信。

从此,"见字如面"和"书信现场"这对"孪生姐妹"并肩成长,前者火遍全球,后者在世界各地的许多标志性场馆举办:从伦敦的皇家阿尔伯特音乐厅,到洛杉矶的王牌酒店。

如欲获取更多详情,可访问"lettersofnote.com"和"letterslive.com"。现在,"见字如面"的最新系列还有了音频版可供收听。我们的朗读者阵容人才济济,选自广受好评的"书信现场"演出的固定表演班底。

目 录

	前 言	3
信件 01	她们为下一代开辟了道路 阿科苏亚·海恩斯致玛戈·李·谢特利	8
信件 02	我十分渴望"回归" 贝蒂·特里尔·贝里与威尔逊山天文台	12
信件 03	"旅行者"号宇宙问候卡 卡尔·萨根致艾伦·洛马克斯	16
信件 04	前进吧,约翰尼,前进吧 安·德鲁扬与卡尔·萨根致查克·贝里	23
信件 05	致一位顶尖科学家 丹尼斯·考克斯与伍默拉火箭发射场	25
信件 06	从地球到月球 弗兰克·博尔曼致让·儒勒-凡尔纳	30
信件 07	E.T. 改变了汤米的生活 众人致 E.T. 与史蒂文·斯皮尔伯格	33

I

信件 08	**要做就做第一个**	37
	尤里·加加林致他的家人	
信件 09	**社会主义是太空飞行的最佳发射台**	41
	苏联宇航员致	
	列昂尼德·伊里奇·勃列日涅夫	
信件 10	**结果可能会导致一场灾难**	49
	罗杰·博伊斯乔里致 R.K. 伦德	
信件 11	**眼泪在太空中流动的方式是不一样的**	52
	小弗兰克·L. 卡伯特森致	
	地球上的人们	
信件 12	**知识催生知识**	56
	玛丽·卢·赖特勒与约翰·F. 肯尼迪	
信件 13	**人类最早进入太空计划**	62
	艾伦·谢泼德致他的父母	
信件 14	**太阳和彗星快要打起来了**	66
	内莉·科普兰致	
	威廉·R. 库比内茨博士	
信件 15	**我姐姐说我是个外星人**	68
	杰克·戴维斯与美国国家航空航天局	

信件 16	我实在无法再忍耐了	72
	杰里·科布致约翰·F.肯尼迪	

信件 17	我为你感到骄傲,我们的苏维埃女孩	77
	瓦莲京娜·弗拉基米罗夫娜·佐尔金娜致	
	瓦莲京娜·弗拉基米罗夫娜·捷列什科娃	

信件 18	一个拥有高级文明和智慧的种族	81
	亚历山大·格雷厄姆·贝尔致	
	梅布尔·哈伯德·贝尔	

信件 19	我在天空守护着你	92
	杰瑞·M.利宁杰致约翰·利宁杰	

信件 20	若是仅仅局限于地球,	
	我们已经触摸到了极限	98
	艾萨克·阿西莫夫致阿德莱·史蒂文森	

信件 21	俗话说的"真的很好"的科幻电影	102
	斯坦利·库布里克致亚瑟·C.克拉克	

信件 22	亲爱的儿子	105
	马里恩·卡彭特致马尔康·斯科特·卡彭特	

信件 23	米切尔小姐的彗星	108
	威廉·米切尔致威廉·克兰奇·邦德	

信件 24	**还有人认为应该送个诗人去月球**	110
	朱利安·谢尔致乔治·M.洛	
信件 25	**那会是人生中最重要的旅行**	117
	巴兹·奥尔德林致巴里·戈德曼	
信件 26	**我或许可以为总统提供帮助**	121
	雷·布雷德伯里致小亚瑟·史列辛格；约翰·F.肯尼迪致雷·布雷德伯里	
信件 27	**让冥王星再次成为一颗行星**	127
	卡拉·露西·奥康纳与美国国家航空航天局	
信件 28	**发生月球灾难时**	134
	威廉·沙费尔致 H.R.霍尔德曼	
信件 29	**显然我是可疑的、不可信的**	138
	尼尔·阿姆斯特朗致詹姆斯·惠特曼	
信件 30	**生日快乐，伙计**	142
	奈尔·德葛拉司·泰森致美国国家航空航天局	

一封信是一枚定时炸弹，是一条瓶中信，是一句咒语，是一声呼救，是一则故事，是一段关切的表达，是一次爱的递送，是一种通过文字互相联结的方式。今天，这种简单且非常大众的艺术形式仍是一种有力的沟通手段。不管我们正经历什么样的技术革命浪潮，书信都不会消失，它会像文学一样永远存在。

前　言

欢迎来到太空。

当你的目光平静地从这一页的字里行间掠过时，我猜你生活的这个星球正以每小时约 1670 千米的速度自转着，同时又以每秒约 30 千米的速度绕着太阳飞驰。与此同时，我们的太阳系也在运动，并且不是缓慢地移动，而是以每秒约 220 千米的速度绕着银河系疾驰。不要以为银河系就是静止的了。它也不太安分，正以每秒约 120 千米的速度向仙女座星系奔去——终有一天二者会相撞，给人类（如果人类能以某种方式在我们所处的一团乱麻中生存下来）带来各种麻烦。说白了，我们是某个难以想象的庞然大物的一部分，而这个整体正在以极快的速度移动着。

考虑到这一点的话，你手中这本小而完美成册的书可能会显得难以置信的古朴。然而在某种程度上，它又如此宏大。《见字如面：太空》基于一个比我们所有人都宏大的主题，收集了30封由宇航员、天文学家、工程师、政治家、父母和孩子写的信。这些信件饱含希望、敬畏、警告、抱怨、悔恨和恐惧。你将读到一位自豪的父亲在儿子向太空发起征程的前夕写给他的信，以及一位宇航员写给妻女的告别信——以防他无法从太空回来。其中，最触动人的是一位渴望触碰星空的非裔美国女孩写的一封充满希望的信，以及一位资质颇高的飞行员写给美国总统的信——她在信中恳求有机会在地球上空与她的男性同僚们相聚。

在为这本书收集资料的过程中，我除了感受到身体上的渺小之外，还显示出了自己在许多和太空有关的问题上的无知。例如，我不知道冥王星的宽度是美国的一半，也不知道美国国家航空航天局的员工会仔细考量尼尔·阿姆斯特朗踏上月球后说的第一句话。我当然也不曾知道那个发明电话的人是如此坚定地相信火星上有外星人居住。

然而并不让我感到惊讶的是，有如此之多的人会为了一个我们之中极少部分人去过的地方写下这些令人着迷的信件。一个离我们如此之近却又如此遥远的目的地。人们只能想象——我们中的大多数人都想象过——自己踏上这趟旅行时的感受。

1997年,巴兹·奥尔德林在登上月球的28年后,在给一位教授的信中对这段经历写道:

> 在未来的某一天,当人们在考虑他们的度假计划时,我希望他们会选择飞向太空。那会是一生中最重要的旅行。

我也希望如此。

肖恩·亚瑟

2020年

The Letters

—— 信件 01
她们为下一代开辟了道路
阿科苏亚·海恩斯致玛戈·李·谢特利
2018 年

玛戈·李·谢特利的《隐藏人物》出版于 2016 年，讲述了多萝西·沃恩、凯瑟琳·约翰逊和玛丽·杰克逊的真实故事。20 世纪 60 年代，这三位非裔美国妇女作为"人肉计算机"（human computers）为美国国家航空航天局效力。正是得力于她们的关键计算，尼尔·阿姆斯特朗和约翰·格伦等知名宇航员才得以进入太空。然而，在很长一段时间里，她们的贡献并不为人所知。她们了不起的经历经由谢特利的重述成为一本畅销书，随后被改编成电影并获得奖项。2018 年，一位立志成为宇航员的 10 岁非裔美国女孩阿科苏亚·海恩斯给谢特利写了这封信。

―― **信件正文**

亲爱的玛戈·李·谢特利:

2017年8月21日那天,我觉得自己太幸运了。那是开学第一天,我的朋友们都在上课,而我在伊利诺伊州的卡本代尔看日食。当月亮完全遮住太阳时,我抬起头,想知道凯瑟琳·约翰逊帮助约翰·格伦绕地球飞行时的感受。读了你的书《隐藏人物》之后,我对成为美国国家航空航天局的宇航员这件事更兴奋了,但也让我对这个职业选择产生了怀疑。在读到一个火球进入宇宙飞船,杀死了里面的三名宇航员时,我感到特别害怕。我一直梦想着成为宇航员。我在四岁的时候见过梅·杰米森[1],并且在至少四个万圣节活动中打扮成宇航员,但我真的不想死于一个火球。

我在从卡本代尔回来的火车上读完了你的书,恰好在我的《隐藏人物》主题生日派对五天前。我定了条规则,告诉我的朋友们说,如果他们想来,就必须读完这本书至少三分之二的内容,这样我们才能进行

---

1. 梅·杰米森(Mae Jemison, 1956—),美国第一位非裔女性航天员。——译者注(以下若无特别说明,均为译者注)

些有趣的讨论。我邀请每个人分享了他们最喜欢的段落。轮到我的时候，每个人都大声朗读了我选择的第217页里的内容。在得知约翰·格伦正是因为凯瑟琳·约翰逊卓越的数学能力，而愿意将自己的性命托付给她的时候，我变得更认真对待自己的数学作业了。我很喜欢数学，但我有些朋友不喜欢。我想让他们读读你的书，感受一下数学的魔力，了解一下它能派上多大用场。在我的派对前，我特地去查了查"解析几何"是什么，因为凯瑟琳用了它来计算约翰·格伦的墨丘利号太空舱的航行轨迹。数学是多有用的魔法啊！

虽然约翰·格伦非常尊重凯瑟琳·约翰逊，但事实上他们生活在截然不同的世界里。当我读到凯瑟琳和其他"人肉计算机"被迫忍受的歧视（人们不信任她们以及单独隔开的浴室）时，我开始思考，在种族隔离时期生活会是怎样的感觉。我扪心自问，自己是否在如此压力下也能工作得如此出色。我为约翰逊女士感到骄傲。

正是归功于凯瑟琳·约翰逊和其他"人肉计算机"的伟大成就，如今的非裔美国人才拥有了更多的机会。她们为下一代开辟了道路。我的朋友们很感谢我选择了你的书来庆祝生日。我知道,自己可以成为一名宇航员,或是一名天体物理学家,或者在地球上从事和太空有关的工作的!

阿科苏亚·海恩斯敬上

—— 信件 02

我十分渴望"回归"

贝蒂·特里尔·贝里与威尔逊山天文台

1918 年 1 月 21 日

在《隐藏人物》中的女性为太空竞赛——冷战时期美国和苏联之间竞争激烈的太空探索工程——发挥关键作用的几十年前,威尔逊山天文台在 20 世纪初便雇用了许多技艺高超的女性人才从事类似工作。她们的宝贵付出并没有换来应得的赞誉,甚至领到的薪水也少得可怜。如信件中所示,即使贝蒂·特里尔·贝里拥有数学硕士学位并热爱天文学,她也无法承担"人肉计算机"的工作。然而,贝里后来成了一名著名的律师,并且是美国第一位担任公设辩护人的女性。

—— **信件正文**

> 1918 年 1 月 21 日
> 致贝蒂·特里尔·贝里女士
> 西大街 1929 号
> 洛杉矶,加州

亲爱的贝里女士:

我们计算机部门现可以提供一个职位给你,起薪为 825 美元一年,任命将于 2 月 1 日生效。员工每年有一个月休假,周六下午不上班。

这份工作的薪水可能比你以往的收入少得多,但我仍希望你愿意在这条件下尝试工作。考虑到你对天文学的兴趣,我认为你不会后悔接受这份工作的。

> 计算机部门主管敬上

* * *

> 1918 年 1 月 23 日

亲爱的西尔斯先生:

我今天收到了您 21 日的来信,事关计算机部门一个周薪 16 美元的职位。我相信您会理解我针对此事写的这封长篇回复。

我全靠自己的努力来养活自己。尽管我非常渴望再次进入天文领域工作,但若是只能获得这么微薄的收入,会不可避免地引发一些丑陋的现实问题。因此,就您信中提到的职位而言,我不得不遗憾地表示,我实在无法接受它。

然而,我注意到您提到了我"对天文学的兴趣",仿佛这与您信中提到的职位无关。我是否可以就此推断,您在考虑以后为我提供一个更有趣的、非机械性工作的职位?如此的话,我好像是正在被给予一次"试用"的机会——对此我非常感谢,但同时也肩负着失败的风险。而如我讲的一样,我几乎没有能力去承担这种风险。并且,在我大胆地在职业上做出改变之前,一份能让我养活自己的试用期工资显然是相当有必要的。

我十分渴望"回归"我热爱的事业,也非常相信自己能协助您做好工作。因此,我仍然希望自己有机会加入您的团队。

贝蒂·特里尔·贝里敬上

* * *

1918 年 1 月 30 日

亲爱的贝里女士：

　　从目前的情况来看，恐怕我们只能重申前一封信中的提议。但从你的回信来看，我认为这已经是徒劳了。我很遗憾，因为我曾期望你能加入我们。

　　　　　　　　　　　　　　计算机部门主管敬上

—— 信件 03

"旅行者"号宇宙问候卡

卡尔·萨根致艾伦·洛马克斯

1977年6月6日

截至2020年,发射于1977年的"旅行者1"号太空探测器距离地球已有约225亿千米远。探测器于2012年到达了星际空间[1]。它的姊妹探测器"旅行者2"号也于1977年发射。两个探测器上分别搭载着一张旅行者金唱片。那是一张直径30厘米的镀金铜盘,里面储存了数百个代表人类的声音及图像文件——这是一个会让任何充满好奇心的外星生命关注的时间胶囊。唱片里的内容是由以天文学家卡尔·萨根为首的委员会在一年时间内精心策划的。他在1977年给备受尊重的音乐学家艾伦·洛马克斯写了下面这封信。洛马克斯当时刚刚同意加入这个团队。信件正文还有一份来自美国总统吉米·卡特的致辞。金唱片中也包含了这篇致辞。

---

1. 星体之间和星系之间的区域都可被称为星际空间。

—— 信件正文

康奈尔大学
无线电物理学与空间科学研究中心

1977年6月6日

艾伦·洛马克斯

西98街215号

12E房间

纽约，纽约州10025

亲爱的艾伦：

我非常高兴在制作旅行者金唱片的过程中，能受益于你在民族音乐学方面的丰富经验与专业知识。

"旅行者"号双姝是无人驾驶的深空探测器，分别将于1977年8月和9月从卡纳维拉尔角发射。它们的任务是近距离观测主要行星，包括木星、土星和天王星，它们的20多颗卫星，以及土星和天王星的光环。在进行飞行观测后，这两个航天器将被弹出太阳系，成为人类的第三和第四个星际空间飞行器。前两个这样的飞行器是发射于大约6年前的"先驱者

10"号和"先驱者11"号,上面分别搭载着一个阳极氧化过的15.24厘米×22.56厘米的镀金铝板。铝板上蚀刻着一些简单的科学信息,包括地球和太阳系在银河系里的位置,以及我们星系截止于飞行器发射之前100亿年的历史。铝板上还刻有一男一女的画像。这两块金属板仿佛是漂流瓶里的信息,被投进了宇宙的海洋,以便万一哪个外星文明在遥远未来的某个时刻发现"先驱者10"号或"先驱者11"号,而对它的来源感到好奇。

"旅行者"号双姝让我们能以一种更丰富的方式延续着"先驱者10"号和"先驱者11"号的经验。当美国国家航空航天局邀请我来主持一个委员会,以决定"旅行者"号宇宙问候卡的性质时,我们很快就意识到,一张留声机唱片的金属母带可以传达的信息要比同样大小的牌匾多得多。鉴于今年也刚好是爱迪生发明留声机的100周年,一张唱片似乎更显合适了。美国国家航空航天局将在每艘"旅行者"号上装载两张铜制母带,相当于两张(四面)可长时间播放的、每分钟100/3转的30.48厘米的唱片中的内容。其中一面会录有数字化的科学信息——主要是图表和图片;人类的各种声音,包括一些特意在联合国准备的声音文件和联合国秘书长库尔特·瓦尔德海姆的特别问候；以及一些非音乐性的、非口头发出的地球之声。其他三面上全是音乐——能代表人类和人性最美好的一面的音乐。我们相信，在民众中发行与飞行器的唱片内容相同的、包含两张唱片在内的专辑，会激励听众审视我们的文明和文化，并思考我们想要自己如何在宇宙中被代表。此外，对许多人来说，这可能是第一次接触到人类音乐的多样性与品质。

在保护罩的作用下，飞行器中的唱片可能会存留10亿年之久。人类的大部分人工制品都不太可能存留如此长的时间。举例来说，现有的大多数大陆到那时候肯定都会被磨平甚至消失。"旅行者"金唱片中的音乐选段拥有了某种不朽的性质，而这是经由其他任何方式都无法实现的。

我们希望你能成为最后的音乐选择委员会的成员，并且非常高兴我们能从你独特的民族音乐收藏中选取一些内容。毕竟我们总是需要版权所有者的许可。我们认为自己有义务为您的重要协助做出显著认可。我们会确保您的名字和所属机构出现在美国国家航空航天局关于该唱片的所有新闻发布稿里。（类似的新闻稿估计会在八月末发出）我还想邀请您为该商业唱片的内页或小册子准备几个段落,并且如果未来会发行有关"旅行者"金唱片的书,您会考虑就选择特定民族音乐的理由和意义,为该章节准备全部或部分内容。我在此附上一个小小的纪念品,以表达我的敬意。

致以良好的祝愿
诚挚的
卡尔·萨根
旅行者(号星际)唱片委员会主席

* * *

声 明

"旅行者"号飞行器由美利坚合众国制造。我们是一个由居住在地球上的 40 多亿人类中的 2.4 亿组成的群体。我们人类目前仍以国家划分,但这些国家正在迅速发展成为一个全球文明。

我们向宇宙发出这条信息。此信息可能在未来 10 亿年长存,届时我们的文明将历经改变,地球的面貌也可能发生巨大的变化。在银河系的 2000 亿颗恒星中，一些（也许很多）都有生命或文明栖息。如果有这么一个文明拦截了"旅行者"号，并能理解它所携带的内容，以下是我们的信息：

> 这是一个来自遥远的小世界的礼物，是我们的声音、我们的科学、我们的图像、我们的音乐、我们的思想和我们的情感的象征。我们正试图在我们的时代生存下去，以便与你们的时代交会。我们希望有朝一日，在解决了目前面临的难题之后，能够加入一个银河系文明共同体。在这个巨大而令人敬畏的宇宙中，这张唱片代表了我们的希望、我们的决心和我们的善意。

[已签署]

吉米·卡特

美利坚合众国总统

白宫

1977年6月16日

我们希望有朝一日,在解决了目前面临的难题之后,能够加入一个银河系文明共同体。

——吉米·卡特总统

—— 信件 04

前进吧,约翰尼,前进吧[1]

安·德鲁扬与卡尔·萨根致查克·贝里

1986年10月15日

"旅行者"号双妹离开我们的星球9年后,正值摇滚乐的传奇人物查克·贝里60岁生日之际,天文学家卡尔·萨根和作家兼导演安·德鲁扬给他写了一封信。查克·贝里是作品入选"旅行者"金唱片的艺术家之一。"旅行者"金唱片是随"旅行者"号飞行器一同发射的30.48厘米的镀金铜盘,上面记录着代表地球的物种多样性的声音和图像——这也是萨根写给艾伦·洛马克斯的信(本书第三封信)的主题。

---

1. 此为查克·贝里的歌曲《约翰尼·B. 古德》(*Johnny B. Goode*)中的一句歌词。

—— 信件正文

亲爱的查克·贝里：

当人们说你的音乐将永存于世时，你往往可以肯定他们是在夸大其词。但《约翰尼·B.古德》现在正在"旅行者"金唱片上，随着距离地球约32亿千米远的美国国家航空航天局"旅行者"号飞行器一起，向着星空进发。这些唱片将至少在未来10亿年里长存。

60岁生日快乐，我们对你为这个世界带来的音乐充满敬意……

前进吧，约翰尼，前进吧。

安·德鲁扬

卡尔·萨根

康奈尔大学

纽约州，伊萨卡市

谨代表旅行者号星际唱片委员会敬上

—— 信件 05

致一位顶尖科学家

丹尼斯·考克斯与伍默拉火箭发射场

1957 年 10 月

    1957 年，苏联成功发射了"斯普特尼克 1"号，抢先于美国打造了第一颗人造地球卫星。这一消息传出后，澳大利亚的一名小学生丹尼斯·考克斯给澳大利亚皇家空军位于伍默拉的火箭发射场写了这封紧急信件，试图让澳大利亚也加入太空竞赛。令丹尼斯感到沮丧的是，他那封"致一位顶尖科学家"的信并没有被理睬——直到 52 年后，在 2009 年，丹尼斯的原信和关于建造火箭飞船的设计提案被澳大利亚国家档案馆的网站收录，随后登上了新闻报道。作为报道的后续，他终于收到了澳大利亚国防部的答复。

—— 信件正文

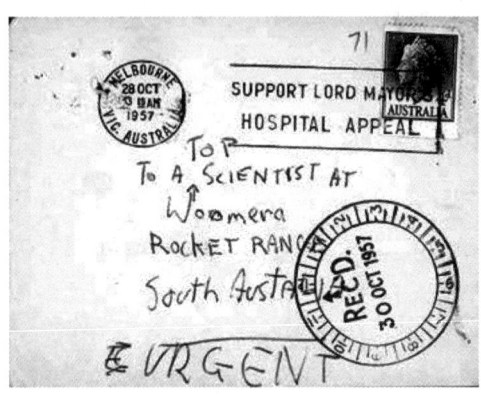

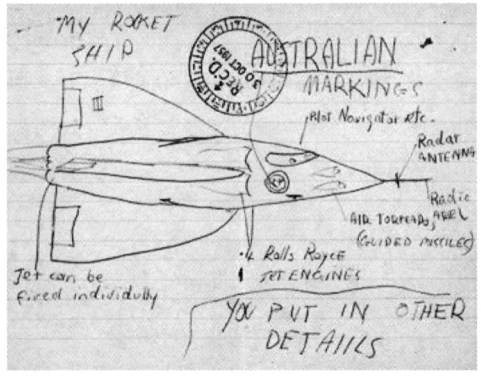

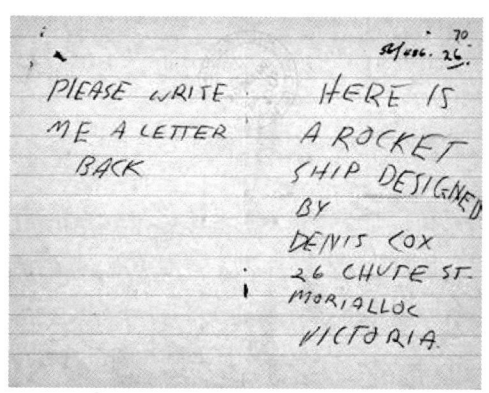

澳大利亚政府

国防部

国防科学技术组织

丹尼斯·考克斯先生

2009 年 8 月 28 日

亲爱的考克斯先生：

感谢你在 1957 年 10 月 20 日关于火箭飞船设计的来信。我对迟迟没有回复你的信件表示歉意。希望你能理解，由于你要求和能使用"伍默拉火箭发射场"的"顶尖科学家"通信，所以这封信花了点时间才被送到我手上。此外，我们还需要一点时间来仔细考虑你的想法。

我随信附上了一张我们 HIFiRE 项目[1]中的高超音速飞行器的最新飞行照片，你会发现你的许多设计都是非常有价值的。机翼相对小了点，以及虽然你明确表示我们应该考虑在飞行器上载人，但我们目前的工作还没有进行到这一程度。有趣的是，人们仍然在考虑你信中提出的将火箭发动机与涡轮机结合起来的想法。这种发动机现在被称为"火箭基组合循环推进系统"，似乎和 1957 年的时候一样好用！我对机身的形状也相当感兴趣，它的确展示了很多优点！

我认为你的信件中最有趣的一句话是"你来负责其他细节"。很明显，你会成为一个优秀的项目经理，为那些最了解情况的人提供充分的自由度去完成工作。此外，从将"澳大利亚标记"作为设计中最突出的特征这一点来看，你也很清楚事情的轻重缓急。

大约就在你来信的时候，我还是个设计火箭飞船和飞机的孩子。我不知道为什么，也不知道自己是怎么做到的，但不知怎的，我很幸运地得到了现在这个

---

1. HIFiRE 全称 The Hypersonic International Flight Research Experimentation，即美国空军研究实验室和澳大利亚国防科学技术组织共同开展的国际性高超音速飞行试验研究项目。

职位。由我带领的团队设计的飞机和发动机很快就能以 8 马赫，也就是约 9000 千米每小时的速度飞行。我很自豪地告诉你，正如你信中指明的那样，这些飞机上都会有一个"澳大利亚标记"。我唯一希望的是我们的工作做得足够好，不辜负你在多年前的来信中表露的灵感、梦想和希望。

再次感谢你的来信。

[签名]

艾伦·保罗，理学学士，博士，工程科学硕士

高超音速应用研究负责人

航空飞行器部门

国防科学技术组织，布里斯班

—— 信件 06

从地球到月球

弗兰克·博尔曼致让·儒勒-凡尔纳

1969 年 2 月 5 日

　　1968 年平安夜,从佛罗里达州肯尼迪航天中心发射三天后,"阿波罗 8"号成为史上第一个绕月航行的载人航天器。在此次任务中,他们不止一次,而是十次完成了这项壮举。飞船上搭载的指挥官弗兰克·博尔曼和他的两位队员吉姆·洛威尔与比尔·安德斯轮流朗读了《创世纪》的前十节。他们朗读的声音被传输回地球,向数百万人播放。在这次历史性飞行结束两个月后,博尔曼给法国小说家让·儒勒-凡尔纳写了一封信。让·儒勒-凡尔纳是法国小说家让·儒勒-凡尔纳[1]的孙子。104 年前,他在《从地球到月球》一书中具有先见之明地提到了这么一次旅行。

---

1. 祖孙同名。

—— 信件正文

美国国家航空航天局

1969年2月5日

让·儒勒-凡尔纳先生
老胡巴区
土伦,邮编83000

亲爱的先生:

您一定清楚,包括洛威尔上尉、安德斯少校和我本人在内的数代美国学生,都曾被您杰出的祖父的书深深吸引。

他的《从地球到月球》不仅预见了人类刚刚完成的这次伟大历险,还包括从佛罗里达州升空和在太平洋降落的细节。这不仅仅是一个非凡的巧合:这是对他远见卓识的一次致敬。他不仅构想了人类可能进行的探索,还构思了探索的方式,乃至最具体的细节。

谁能说得清,世界上有多少太空科学家曾有意无意地受到他们童年阅读的儒勒-凡尔纳作品的启发呢？然而我们能确信的是，在人类历史上的每一次突破背后都是一个梦想。那个梦想，以及实现梦想的蓝图，是由您祖父展示给我们的。因此，从本质上来看，儒勒-凡尔纳是太空时代的伟大先驱之一。

            您真诚的

          弗兰克·博尔曼谨上

—— 信件 07

E.T. 改变了汤米的生活
众人致 E.T. 与史蒂文·斯皮尔伯格
约 1982 年

很少有电影能像《E.T. 外星人》那样影响观众。这个由史蒂文·斯皮尔伯格创作的开创了同类电影先河的故事上映于 1982 年，讲述了男孩与外星生物的友谊，迅速打破了票房纪录，赢得了多项奥斯卡奖，也俘获了无数人的心。同时，各个年龄层的人受此启发，抬头仰望天空，对其他星球上是否有生命栖息的可能性产生好奇。当然，一个如此有影响力的文化事件一定会引发信件往来，以下是通过 E.T. 的粉丝俱乐部寄给斯皮尔伯格和 E.T. 本人的三封信件。

―― 信件正文

亲爱的斯皮尔伯格先生：

我知道这封信一定是你在《E.T. 外星人》上映后收到的成千上万封信件中的一封而已，并且与那些信件也没有太大不同。我可以如实地大谈特谈《E.T. 外星人》是一部多么了不起的电影，以及你在执导这部电影时展现出的卓越才能，但我不会这么做。

我在还是个成长中的孩子时，就曾梦想着与来自其他世界的生命相会。我仍然记得自己盯着窗外的天空，想着如果我足够努力（且真诚）地许愿，我从榆树间窥见的那颗星星所在的行星系统里居住的居民就会前来拜访。

我会在黄昏时出门，在残破的铁丝围栏上缠上颜色鲜艳的电线。也许用某种方式向我的星星发送讯息后，通过一些神奇的物理学怪象，他们就会前来。

如今电线已经不见了，围栏上也没有任何迹象能显示出它当初承载过的梦想的分量。那棵曾把除了属于我的那颗星星以外的其他星星都挡了起来的榆树得了荷兰榆树病，现在，成百上千的星星在它的枝丫间闪烁。而我也已经变老，将童年的梦想掩藏了起来。

E.T. 找到了那个我最喜欢的幻想,并让我再次活在其中。你让一个孩子的梦想得到了正视。

史蒂文·斯皮尔伯格,谢谢你。

丽塔·卡尔姆

* * *

亲爱的E.T.:

我觉得你很可爱,也很有趣。你从哪里来?你的朋友都是什么样的?你的太空飞船长什么样?能飞多快?你的家是什么样的?你说什么语言?你喜欢地球吗?你估计没法回答以上所有问题,只需要回答其中一些就行,也请给我寄一个小纪念品[1]。

马克敬上

* * *

亲爱的E.T.粉丝俱乐部以及斯皮尔伯格先生:

我是汤米的妈妈。我替汤姆[2]写了这封信,因为他

---

1. 此处原文将"token(纪念品)"写成了"tollken"。
2. 汤米(Tommy)是汤姆(Tom)的爱称。

除了自己的名字以外几乎没学过写其他字。汤姆今年20岁，患有自闭症。这意味着比起周围的真实世界，他更喜欢自己那个奇奇怪怪的世界。他一直喜欢看充斥着特效、太空飞船和令人称奇的外星人的电影，因此他的父母自然而然会轮流带他排长队去看《E.T.外星人》。在漆黑的电影院里，汤米从自己的世界里走了出来。他尖叫，鼓掌，大笑……然后哭了，是的，汤米哭了。真的掉了眼泪。

自闭症患者是不会哭的，无论是为了自己还是他人。但汤米哭了，还喋喋不休地谈论着 E.T.。汤姆已经看了三遍《E.T.外星人》，还总是跟人碰碰手指并郑重其事地重复着："哎哟。"

E.T. 改变了汤米的生活，让他和自身以外的东西产生了联结。和 E.T. 一样，汤米仿佛也是一个外星生命体，正试图寻找回家的路。

全心全意的

安·安多尼安

—— 信件 08

要做就做第一个
尤里·加加林致他的家人

1961 年 4 月 10 日

尤里·加加林于 1934 年出生在苏联的克鲁希诺村。父亲阿列克谢·伊万诺维奇·加加林是个木匠，母亲安娜·蒂莫菲耶夫娜·加加林娜是个农民。在 23 岁时，加加林遇到了来自奥伦堡的护理专业学生瓦伦蒂娜·戈尔巴乔娃，和她陷入了爱河。他们在几个月后就结婚了，随后有了两个女儿：叶莲娜和加林娜。1961 年 4 月 12 日，加加林向他组成不久的家庭挥手告别，走进了"东方 1"号飞船，成为第一个进入太空的人。他平安返回了。然而，他也为另一个截然不同的结局做了准备。在出发前两天，以防自己失事身亡，他给妻子和孩子们写了这封信。

—— 信件正文[1]

亲爱的瓦莱什卡、列诺奇卡和加洛奇卡![2]

我决定给你们写几句话,共同分享我今天的喜悦和幸福。今天,政府委员会决定让我参加第一次太空飞行。我很高兴,亲爱的瓦柳莎[3],也希望你能与我一起享受这份喜悦。我是一个普通人,却被赋予了一项重要的国家使命——为进入太空铺设第一条道路!

…………

我完全相信科技。它应当不会失败的。但正如一个人可能会毫无理由地摔倒并摔断脖子一样,有些事是有发生的可能性的。我相信这种情况不会发生。但如果发生了,我请求你们所有人,特别是你,瓦柳莎,不要沉浸在悲伤之中。生活就是如此……请照顾好我们的女儿,像我一样爱她们。请把她们培养成真正不惧生活挑战的人。把她们培养成有资格在新的共产主义社会中生活的人。

---

1. 信件正文为节选。——原书注
2. 分别是瓦伦蒂娜、叶莲娜和加林娜的昵称。
3. 瓦伦蒂娜的另一个昵称。

这封信太悲观了。我并不认为这样的坏结果会发生。我希望你永远不会读到这封信,我会为自己一时的软弱而感到羞愧。但万一发生了什么事,你得知道全部真相。

我还是个孩子的时候,曾读到过瓦列里·契卡洛夫[1]的一句话:"要做就做第一个。"所以我努力这么做了,也会坚持到底。瓦莱什卡,我想把这次飞行献给我们已经进入共产主义社会的人民,献给我们伟大的祖国,献给科学。

希望我们能在几天后再次团聚,我们会很幸福。瓦莱什卡,别忘了我的父母。如果你有机会,请多多关照他们。替我向他们致以最温暖的问候,并请他们原谅我没有告诉他们这件事,因为他们不该知道。好了,差不多了。

再见,亲爱的。紧紧地拥抱你们,亲吻你们。

致以问候

你们的爸爸,尤拉[2]

---

1. 瓦列里·契卡洛夫(Valerä Chkalov,1904—1938),苏联空军前试飞员,曾被授予最高荣誉"苏联英雄"称号。
2. 尤里的昵称。

我是一个普通人,却被赋予了一项重要的国家使命。

——尤里·加加林

—— 信件 09

社会主义是太空飞行的最佳发射台
苏联宇航员致列昂尼德·伊里奇·勃列日涅夫
1965 年 10 月 22 日

在 1961 年进入太空的历史性旅程后,尤里·加加林迅速成了国际名人。他时年 27 岁,拥有着令人陶醉的帅气与魅力,并作为他的国家的太空计划与政治制度的代言人环游世界。然而在接下来几年,太空竞赛发展得越来越快。到了 1965 年,加加林和他的宇航员同僚们清楚地意识到,美国已经呈现出要赶超苏联的势头。这封写给苏联领导人列昂尼德·伊里奇·勃列日涅夫的重要信件是他们对变革的请求。1968 年,加加林驾驶的飞机在俄罗斯的基尔扎奇镇坠毁。在他去世后一年,美国国家航空航天局将人类送上了月球。

—— **信件正文**

> 苏联共产党中央委员会
>
> L.I. 勃列日涅夫同志

亲爱的列昂尼德·伊里奇·勃列日涅夫!

我们为了提出一些问题给您写信。我们认为,这些问题对国家和我们自己来说都非常重要。

苏联在太空探索方面有着众所周知的成就,因此没有必要在此列举出我们所有的胜利。我们已经取得了这些胜利,它们将在历史中永存,成为我们国家的骄傲。人民、党和我们的领导人们总是恰当地把我们在太空中的成就与我们在社会主义建设中的成就联系起来。"社会主义是太空飞行的最佳发射台。"这句话在世界上广为流传。苏联人民骄傲地说出这些话,社会主义国家的人民相信这句话是真的。而在国外,数以亿计的人通过我们在太空的成就了解到了共产主义的优越性。事实就是如此,我们宇航员曾多次出国旅行,成百上千次地见证了来自各个国家的数百万群众是如何为苏联的太空成就热烈欢呼的。

然而,在过去一年里,情况发生了变化。美国不仅赶上了我们，在某些领域甚至超过了我们。"游骑兵7"号、"游骑兵8"号、"水手4"号、"双子座5"号等航天器的航行都是美国科学家的重大成就。

对于我们宇航员来说，祖国在太空探索方面的落后是尤其无法容忍的。此外，这也损害了苏联的威信，也对社会主义阵营国家的国防力量产生了负面影响。

为什么苏联正在失去在太空研究中的领先地位？对于这个问题，常见的回答是：美国在太空研究方面已经打造了一条非常宽广的战线，他们在太空研究上花费了大量资金。他们在过去5年里一共花了200多亿美元，仅在1965年就花了70亿美元。这个答案是基本正确的。众所周知，美国在太空探索方面的开销比苏联要多得多。

但此事并不只关乎资金问题。苏联也为太空探索投入了大量资金。不幸的是，在我们国家，针对这项工作的规划、组织和管理有着诸多缺陷。如果我们连针对宇航员的飞行训练计划都没有，又怎么能去讨论严肃的太空研究计划呢？10月即将结束，距离1965年年底还有一段时间。然而在苏联，没有一个人知道今年是否会有载人航天飞行，飞行任务是什么，会持续多长时间。同样的情况在此前"东方"号和"上升"号航天器的所有飞行中尤为明显。这会使宇航员的飞行准备工作出现异常,也无法让机组人员为了飞行顺利而提前做准备。

我们知道国家有发展太空技术的计划,我们知道苏联共产党中央委员会和政府有着对建造航天器的具体期限的决定。但我们也知道,在这些决定中,有许多根本没有被执行,而且大多数已执行的项目都有着极大的延迟。

载人航天飞行正变得越来越复杂而漫长。为类似飞行做的准备工作需要花费大量时间,也需要特殊的设备、训练飞船和模拟器。而如今,这些设备的制造有着极大的延迟,采用的工序也相当原始。简而言之,我们需要一个针对载人航天飞行的国家计划,其中包括飞行任务、日期、机组成员、飞行时间、制造航天器和模拟器完成的最后期限,以及其他许多事关飞行准备的重要议题。

到目前为止,载人航天飞行是根据苏联科学院的计划执行的,而提供管理和技术支持的是行业代表和苏联国防部。飞行计划的军事意义仅在一定程度上有所展现,原因可以被解释为:在国防部内没有一个来统一处理复杂的空间探索议题的组织。每个人都参与了空间事务——导弹部队、空军、防空部队、海军和其他组织。四处分散的精力和资源干扰了太空探索项目的正常进程。大量的时间花在了协调计划和做决定上，而这些决定反映的往往都是狭隘的部门利益。太空研究组织的现状与苏联共产党中央委员会九月全会决议中的精神截然相反，因此必须加以改变。

1964年，总参谋长、苏联元帅比留佐夫成立了一个特别委员会。该委员会详细地研究了太空探索工作的组织架构，并得出结论：有必要将太空事务统一交予空军指挥。苏联元帅S.S.比留佐夫、A.A.叶皮谢夫大将和苏联元帅A.A.格列奇科都支持这一提议。但是，在比留佐夫不幸去世后，这个合理的建议被抛弃了。导弹部队组织成立了太空探索中央管理局。然而，这个组织的建立并没有改变什么现状。狭隘的部门利益制约、资源的分散和缺乏协调的情况一直存在。

空军领导和我们这些宇航员曾多次向联合参谋部、国防部长以及军工委员会提出事关建造并装备具有执行军事任务能力的航天器的具体建议。通常情况下，我们的提议都不会得到导弹部队领导的支持。我们收到了这样的答复："'东方'号航天器没有任何军事价值,下令建造它们是不合适的"以及"我们不会订购'上升'号航天器,因为没有资金"。

1961年,我们有两艘"东方"号航天器。

1962年,我们有两艘"东方"号航天器。

1963年,我们有两艘"东方"号航天器。

1964年,我们有一艘"上升"号航天器。

1965年,我们有一艘"上升"号航天器。

1965年,美国发射了三艘"双子座"号航天器,正计划着在年底前再发射两艘。

为什么我们没有为宇航员制造足够多的飞船?无论如何,这都不是因为资金的匮乏。这是因为导弹部队的领导层更相信自动卫星,而低估了人类在太空研究中所起的作用。令人遗憾的是,我们作为第一个将人类送入外太空的国家,却花了过去四年时间来争论是否要让人登上军用航天器。在美国,这个问题已经得到了答案,并且美国最终坚定地站在了载人的一方。在这个国家,很多人仍然主张使用自动装置。只有这种考量才能解释为什么我们在生产了30—40颗自动卫星的同时,只建造了1—2艘可供人驾驶的航天器。很多自动卫星的成本都比可供人驾驶的飞船要高得多,而且它们之中许多都从未到达目的地。"东方"

号和"上升"号有人驾驶航天器都曾执行过全面的科学研究计划,同时还为国家产生了巨大的政治效应。

我们无意贬低自动驾驶航天器的价值,但对它们的一味迷恋至少是无益的。通过驾驶"东方"号和"上升"号航天器,我们可以执行许多大型复杂的重要军事研究,并将飞行时间延长至10—12天。然而我们根本没有航天器,没有任何可以用来驾驶飞行的东西,没有任何可以用来进行太空研究的东西。

除了上面所说的以外,我们的飞行组织还存在着其他缺陷,而这些缺陷是我们无法自发弥补的——我们国家没有统一的太空飞行控制中心。在飞行过程中,航天器在一天中的第六次和第十三次环行之间无法和指挥站取得通信。宇航员在试验场的训练和休息条件也很差。

我们还有其他待解决的问题。这其中许多问题本不需要向苏联共产党中央委员会申诉就能解决。我们曾多次就这些问题写信给国防部长。我们也知道空军领导层向国防部和政府提出的请愿,但这些请愿基本没有被实现。我们也曾多次同国防部长会面,但不幸的是,这些会面并不属于商务会议的范畴。而今天,我们已经没有信心认为这些问题会在国防部得到妥善解决。

亲爱的列昂尼德·伊里奇·勃列日涅夫,我们明白你十分繁忙。尽管如此,我们仍然请求你了解一下我们的太空事务与需求。

伟大的十月革命 50 周年即将到来。我们非常希望在这个伟大纪念日到来之前,能在太空中取得新的重大胜利。

我们坚信,通过将所有太空军事事务统一交由空军指挥,对太空研究进行更为周密的规划,并基于有人驾驶航天器的军事应用问题来制造航天器后,我们祖国的防御力量将得到明显的增强。

苏联飞行员兼宇航员

Yu. 加加林

A. 列昂诺夫

P. 别列亚耶夫

G. 季托夫

A. 尼古拉耶夫

V. 贝科夫斯基

1965 年 10 月 22 日

—— 信件 10
结果可能会导致一场灾难
罗杰·博伊斯乔里致 R.K. 伦德
1985 年 7 月 31 日

  1986 年 1 月 28 日，在一场数百万人目睹的悲剧中，"挑战者"号航天飞机在升空仅 73 秒后，于佛罗里达海岸上空解体，并导致 7 名机组成员丧生。随后的调查显示，该事故是由一个 O 形环——也就是航天飞机固体火箭助推器上的一个橡胶密封圈——在发射时的极端寒冷天气影响下失效所导致的。然而，对有关人员来说，这一进展并不令人震惊。在发射前 6 个月，在固体火箭助推器的制造商莫顿·赛奥科公司工作的一位工程师罗杰·博伊斯乔里给公司的副总裁发送了这份备忘录。在备忘录中，他预测到了这个问题，并就可能发生的灾难提出了警告。博伊斯乔里的警告并未得到重视。他后来试图阻止发射，然而没有成功。

—— **信件正文**

1985 年 7 月 31 日

收件人：R.K. 伦德副总裁，工程部
发件人：R.M. 博伊斯乔里，应用力学部 - 分机号 3525
主题：固体火箭发动机 O 形环侵蚀存在重大潜在故障

写这封信的目的，是确保管理层能从工程学的角度充分认识到固体火箭发动机接缝处 O 形环侵蚀问题的严重性。

此前就接口问题做出的错误主张是不惧失败地执行飞行任务，并以解决或至少减轻侵蚀问题为目的进行一系列设计评估。然而，由于固体火箭发动机 16A 喷管接头的侵蚀已经蔓延到了次级 O 形环，且主 O 形环无法密封，该主张现已被完全更改。

如果在现场接点中发生同样的状况（有这个可能性），由于次级 O 形环不能对 U 形夹的打开速度做出反应且无法增压，那么接口有效与否只在一瞬之间。其结果可能会导致一场最高级别的灾难——人命的损失。

在 1985 年 7 月 19 日曾成立一个有领导的非官方小组（关于指定该小组及其作用的备忘录从未被公布过），其任务是分别在短期和长期内解决这个问题。这个非官方小组目前基本不存在了。我认为，该小组必须被正式赋予责任与权利，在不被干涉的基础上全方位执行工作直至完成。

如果我们不立即采取行动，成立专门的小组来解决这一问题，并把现场接点作为第一优先事项，我真切且诚恳地担心，我们有损失此次飞行任务以及发射台上所有设施的风险。

［签名］

R.M. 博伊斯乔里

经由批准：

［签名］

J.R. 卡普

应用力学部经理

—— 信件 11

眼泪在太空中流动的方式是不一样的
小弗兰克·L. 卡伯特森致地球上的人们

2001 年 9 月 12 日

    2001 年 9 月 11 日上午,全世界惊恐地看着 4 架商业飞机被恐怖分子劫持用作武器,在美国领土上杀害了近 3000 人。其中两架飞机飞向了纽约世贸中心标志性的双子塔,最终将它们夷为平地。那天上午,只有一个美国人不在地球上:小弗兰克·卡伯特森,美国国家航空航天局一名 52 岁的宇航员。当时,他正在离他的母星 400 千米远的地方担任国际空间站的指挥官。袭击发生的后一天,他给家乡写了一封信。

—— **信件正文**

2001年9月12日，19点34分

我来这里已经有一个月了，没写过多少关于这项任务的具体细节，主要有两个原因：第一，我很少有时间进行类似的写作；第二，我不确定自己是否能自如地把我平时与家人和朋友分享的想法分享给全世界。

世界显然在今天发生了变化。与今天发生在我们国家的事相比，我的一言一行都显得无足轻重，因为它……被谁袭击了？我们只知道是恐怖分子。我们不知道该向谁发泄自己的愤怒与恐惧……

今天上午我完成了一些任务，而其中最耗时的就是对所有机组人员进行身体检查。在之后的私人谈话中，航空军医告诉我说，他们在地面上过得非常糟糕。我此前完全不知道。

…………

我在华盛顿有很多认识的人，也认识许多常去华盛顿和纽约的人，以及很多飞行员，所以我觉得接下来几天内肯定会收到几条坏消息。我在今天收到了

第一条坏消息：撞击五角大楼的那架美国航空公司的飞机的机长是奇克·伯林盖姆，是我的一个同学。我是在大学新生夏令营认识奇克的，我俩当时都在鼓号队，还一起上过很多堂课。我无法想象他经历了些什么。我听说他为了不让飞机撞向白宫而把它升到了令我们难以置信的高度。这损失实在太过可怕，但我相信奇克勇敢地战斗到了最后一刻。而眼泪在太空中流动的方式是不一样的……

在这个时刻，作为唯一一个不在地球上的美国人，我很难去描述自己的感受。我觉得自己应当和你们所有人在一起，一起处理这件事，以某种方式提供帮助——这种情感是如此强烈。我知道我们正开始经历（或已经历了）世界历史上的一个可怕剧变。2001年9月11日之后，很多事情都不复往昔了。对于那些被这场可怕的恐怖主义行为直接影响到的成千上万的人来说是如此，也许对我们所有人来说也是如此。不幸的是，我们会发现自己开始对很多事物产生不一样的感觉，这其中或许也包括太空探索。

在这个奇妙的高处看着祖国的伤口冒出滚滚浓烟是如此可怕。身处一个致力于改善地球生活的航天器上，又看着生活被这种可怕行径蓄意摧毁，无论对谁而言，这种分裂感都是对心理的一次冲击。当我们着陆时，一切都和我们出发时大不相同了——这种认知让人不安。我对我们的国家和领导层有信心，我们将尽一切努力去更好地保护我们的祖国和家人，并为已经发生的事情伸张正义。我有信心，美国国家航空航天局那些善良的人们将采取一切必要的措施，继续安全地执行我们的任务，并在正确的时间点让我们安全返回。我十分想念你们所有人。我无法亲身与你们在一起，而距离任务完成还有很长的路要走。但可以肯定的是，我的心与你们同在，并希望你们知道，我为你们祈祷。

谦卑的

弗兰克

—— 信件 12

知识催生知识
玛丽·卢·赖特勒与约翰·F. 肯尼迪

1962 年 1 月 19 日

    1961 年 5 月,在苏联宇航员尤里·加加林成为第一个被发射到外太空并环绕地球航行的人之后一个月,美国总统约翰·F.肯尼迪在国会发表了一段具有历史意义的演讲,提议在十年内"把人送上月球,然后把他安全地接回地球"。在耗资数十亿美元后,尼尔·阿姆斯特朗和巴兹·奥尔德林在八年后踏上了月球,肯尼迪的目标也得以实现。1962 年初,在肯尼迪发出呼吁的八个月后,一个名叫玛丽·卢·赖特勒的青少年给他写了封信,质疑人类探索太空的必要性。随后,总统的副特别顾问迈尔·费尔德曼回复了她。

—— **信件正文**

1962 年 1 月 19 日

R.F.D.[1] 一号

密歇根州德尔顿

亲爱的肯尼迪总统：

我今年 13 岁，是一名八年级的学生。在读完我想说的话之前，请不要把我的信扔掉。你能回答我一个问题吗？当上帝创造世界时，他为人类提供了谋生的工具，而人类只能靠着手上仅有的这些工具生存下去。如果上帝想让我们绕地球飞行，前往月球，或是生活在任何一颗行星上，他肯定会亲自把我们送过去的，或者给我们导弹什么的帮我们去那儿。当我们的国家花数十亿美元去购买那些我们本不需要的东西时，许多难民和人们却在挨饿，或是在尝试着过上体面的生活养家糊口。我认为这一切都只是在浪费时间和金钱，而许多人才本可以在其他领域发光发热，比如让我们的世界变得更宜居。其实我们并不需要太空

---

1. R.F.D.: "rural free delivery" 的简称，指美国政府为农村地区设立的邮件投递工程。

飞行器。我觉得我们的国家应该更努力地关注人民的福祉,这样我们才能为自己生活的世界感到自豪。在学校,老师们告诉我们说,我们学习科学是为了让自己的世界变得更美好。但我不觉得需要用太空旅行来证明或进一步发展这一想法。既然你已经听了我想说的话,请问你能给我写信回答我的问题吗?

玛丽·卢·赖特勒

谨上

* * *

1962 年 3 月 29 日

亲爱的玛丽·卢·赖特勒:

总统让我来回复你的来信,事关为什么美国要花这么多时间和精力去探索太空,以及如果上帝想让人类探索太空,就会为人类提供必要的太空工具这一提议。

我们社会的一个重要特征就是,每个人都有权利根据自己的良知来确定上帝意图的性质。因此,我不会冒昧地向你提议要如何去解决你在信中提出的问题。然而，渴望对自然界加以改变以减轻生活中的苦难似乎是人类最常见的特点之一。这一点，外加上天赋予的智力和好奇心，让人类能够通过增加的知识，从最原始的过去——从仅仅使用地上的石头和棍子作为工具，发展到如今拥有可以控制疾病的药物、高效的食品生产方式，以及节省劳动力的机器，以使人类如果愿意，便可以追求更丰富、更人性化的生活方式。

此外，我们无法事先确定人类知识的某项进步最终会带来哪些好处。历史上不乏类似的例子：人类在追求知识的同时并没有期盼着它会带来任何实际用途，而这些知识作为后续发展的基础，又为人类做出了巨大的贡献。詹森[1]在镜片方面的成就无意识地为理解与控制致病微生物提供了突破口；另外，赫兹曾认为他对电磁波的学术实验不会有任何实际有用的结果，但事实上，正是他协助奠定了现代电子工业的基础。

宇航员约翰·H.格伦最近在国会联席会议上阐述他对太空研究的重要性的看法时，简明扼要地总结

---

[1] 詹森（Zacharias Janssen，1585—1632），荷兰镜片制造商。

了这一点。他说:"从长远的角度来看,对知识的渴求与探索总是有回报的,且通常远远超过开始时的预期……任何类似的努力都会以在许多其他领域开始进行研究为结果,我们甚至很难想象如此多的领域会因此获益。知识催生知识。我见识得越多,就越被深深折服——不是因为我们知道多少,而是因为尚未探索的领域有多么广阔。"

诚挚的,

迈尔·费尔德曼

总统副特别顾问

此外,我们无法事先确定人类知识的某项进步最终会带来哪些好处。

——迈尔·费尔德曼

—— 信件 13

人类最早进入太空计划

艾伦·谢泼德致他的父母

1959 年 1 月 29 日

　　1961 年 5 月 5 日,艾伦·谢泼德成为第二个进入太空的人,也是第一个进入太空的美国人。这封信是谢泼德在那之前两年写给他父母的,标志着他首次宣布自愿参加人类最早进入太空计划。事实上就在同一天,在写下这些话的几小时后,谢泼德和其他经过遴选的飞行员一起前往华盛顿。在那里,他们首次听取了美国国家航空航天局关于"水星"计划的介绍。两个多月后,他被选为"水星"计划七人中的一员,并开始接受训练,最终将"自由 7"号航天器带到了距离地面 187 千米远的高空。10 年后,谢泼德成为第 5 个在月球上行走的人。

—— **信件正文**

> 1959 年 1 月 29 日

亲爱的爸爸妈妈:

爸爸,非常感谢你最近寄来的便条,也谢谢你寄来了我的保险费佣金。

我们很享受待在这里的时光,也很喜欢为家里添置的新玩意儿。我们有客房了,所以快来看望我们吧。

目前的计划是给安在四月举行的婚礼做准备。目前还没有什么细节,但会随时通知你们的。

我今天下午要开车去华盛顿参加一个简报会,并考虑要不要参加人类最早进入太空计划。我之所以现在就告诉你们,是因为我不确定此事会涉及多少媒体宣传或新闻发布。总的来说,大约 100 名国家顶级飞行员会被选中前往华盛顿,听取关于在 1961 年的某个时候将人类送入太空的计划的介绍。我们将有机会在简报后选择自愿参加或拒绝这个机会。此后,所有志愿者都会经历一个严格的淘汰过程,直到少数人被选中。整个太空旅行计划都非常吸引人,我也很高兴能参与其中!

我向你们保证,我会根据过去的飞行经验来分析整个情况。当然,我仍打算非常谨慎地去做这件事,也基本确定了会自愿加入计划。我们没有理由对此表示恐惧,而是应当对于自己能被选中为科学和国家做出这一重大贡献而心存感激。我会随时向你们汇报进程。

无论以上情况是否会出现,请一定,一定不要发表任何公告或声明。

爱你们俩的

艾伦

我们没有理由对此表示恐惧，而是应当对于自己能被选中为科学和国家做出这一重大贡献而心存感激。

——艾伦·谢泼德

—— 信件 14

太阳和彗星快要打起来了

内莉·科普兰致威廉·R. 库比内茨博士

1985 年 7 月

    哈雷彗星可以说是所有彗星中最著名的一颗。这颗 15 千米长、8 千米宽的彗星以 18 世纪的天文学家埃德蒙·哈雷的名字命名。他推断彗星会周期性地出现——每隔 75 年到 76 年就能在地球上看到一次——因此这颗彗星是个会回归的星体。哈雷彗星第一次出现的记录是在公元前 240 年，最近一次出现则是在 1986 年。为了迎接彗星的回归，西弗吉尼亚州查尔斯顿学院物理系主任威廉·R. 库比内茨博士曾发出一份请求，希望收集人们有关 1910 年彗星出现的回忆。很快，一位名叫内莉·科普兰的老奶奶便送来了她的目击证词。

—— **信件正文**

> 田纳西州,玛丽维尔市
> 1985 年 7 月 6 日

亲爱的先生:

我在《玛丽维尔时报》上读到了关于哈雷彗星的文章。我对这篇文章很感兴趣,因为我记得自己曾看见过它。我是 1904 年 5 月 15 日出生的,今年芳龄八十。我记得当时太阳快要下山,人们纷纷说太阳和彗星快要打起来了。邻居们都聚在了一个山坡上一起观看。

我的祖母是个非常容易紧张的老妇人。就在太阳落山之前,哈雷彗星划过了红彤彤的太阳,彗星的尾巴又宽又长,而太阳似乎在颤抖摇晃。那真是一幅奇妙的景象。

我现在十分期待能活着见证它的回归。

当时有些人觉得世界末日都要到了。

希望你下次有机会看到它,那个景象真是壮丽无比。

> 诚挚的
> 内莉·科普兰夫人
> 祝你好运

—— 信件 15

我姐姐说我是个外星人
杰克·戴维斯与美国国家航空航天局
2017 年 8 月 3 日

在我们人类扩展着自己的足迹,缓慢探索这个广阔到难以想象的宇宙的同时,我们的一举一动都应当十分小心——这一点至关重要。无论是入境(从太空到地球),还是出境(从地球到太空),我们都应当尽量减少星际污染的风险。自 1967 年以来,航天任务一直受到联合国《外层空间条约》的约束,以避免产生类似的有害污染。截至 2020 年,已经有 110 个国家加入了该条约。2017 年,美国国家航空航天局公开宣布正在寻找一个新的"行星保护官"。不出所料,无数申请书接踵而至,其中包括一封来自 9 岁的杰克·戴维斯的信。

—— 信件正文

2017 年 8 月 3 日

亲爱的美国国家航空航天局：

我叫杰克·戴维斯，我想申请行星保护官一职。虽然我只有 9 岁，但我觉得自己能胜任这份工作。原因之一是我姐姐说我是个外星人。而且我已经把所有我能看的太空和外星人电影都看了一遍。我还看过漫威的《神盾局特工》，也期待着去看《黑衣人》电影。我很擅长玩电子游戏。我很年轻，所以我能学着怎么像外星人一样思考。

诚挚的

杰克·戴维斯

银河护卫队

四年级

***

美国国家航空航天局

亲爱的杰克：

我听说你是"银河护卫队"的一员，也有意愿成为美国国家航空航天局的一名行星保护官。这实在是太棒了！

行星保护官是个很酷的职位，承担着非常重要的职责。当我们从月球、小行星和火星带回样本时，行星保护官会保护地球不受样本中细小微生物的影响。在我们负责任地探索太阳系时，行星保护官会保障其他行星和卫星不受我们带去的细菌的侵害。

我们一直在寻找聪明的、未来的科学家和工程师来帮助我们，因此我希望你能努力学习，在学校表现良好。希望有一天我们能在美国国家航空航天局看到你！

诚挚的

詹姆斯·L.格林博士

行星科学部主任

我很年轻,所以我能学着怎么像外星人一样思考。

——杰克·戴维斯

—— 信件16

我实在无法再忍耐了

杰里·科布致约翰·F. 肯尼迪

1963年3月13日

杰拉尔丁·"杰里"·科布于1931年在俄克拉荷马州出生。父亲是威廉·H.科布中校,母亲是海伦娜·巴特勒·斯通·科布。她在12岁时便第一次操作了父亲的1936年款韦科飞机。从那一天起,她的视线再也没有在地面停留。她在16岁时拿到了私人飞行员执照,在18岁时已经成了一名合格的地面教练。她很快便创造了许多以速度、距离和高度为基准的世界级航空纪录。1960年,她成了美国国家航空航天局挑选的13名女性("水星13"号)中的第一位,并接受了用来决定女性是否有资格成为宇航员的高强度训练。尽管她通过了每项测试,却仍然被禁锢在地面活动,不久该计划就流产了。1963年,在向国会提出这一议题却徒劳无果的处境之下,科布给约翰·F.肯尼迪总统写了这封信,恳请立即将她送入太空。而令她沮丧的是,要再过20年,一位名叫萨莉·赖德的美国妇女才得以离开地球轨道。在写完这封信三个月后，宇航员瓦莲京娜·弗拉基米罗夫娜·捷列什科娃成为第一位进入太空的女性。

—— **信件正文**

1963 年 3 月 13 日

总统

白宫

华盛顿特区

亲爱的总统先生：

提笔写这封信是一个很困难的决定，因为我知道读信的会是您的秘书和助手，而这封信被送到您本人手上的可能性十分渺茫。但我还是不得不这么做，并期待这件事会以某种方式引起您的注意。

您的一些工作人员早已熟知我为了让美国将第一位女性送入太空所做的努力。三年来，我一直在为此而努力（包括通过了三个阶段的宇航员测试）。我已经和约翰逊副总统、太空委员会的威尔什博士，以及我们国家许多顶尖太空科学家讨论过这个问题。大家的反应普遍是赞同的："为什么我们不抢在苏联之前，现在就行动？""科学的理由足以解释成本的合理性。""我们还在等什么？"这都是最为典型的回应。

美国国家航空航天局的高层却不这么认为。两年多以前，詹姆斯·韦伯任命我为美国国家航空航天局的顾问，却从未让我发挥过职能。

我一直不想用这件事来叨扰您，但我实在无法再忍耐了。美国人民都希望美国是第一个将女性送入太空的国家。在美国国家航空航天局拒绝的同时，苏联已经在公开吹嘘他们将在今年把女宇航员送上天，在太空夺取下一个科学意义上的重要第一。我们本可以在去年就完成这一科学壮举。即便是现在，如果您愿意做出决定，我们仍然可以领先苏联。此事根本不需要长时间地沿轨道飞行，也不需要干扰当前的太空计划——在亚轨道上匆忙地进行一次飞行就可以了，或者让 X-15[1] 飞行到 80 千米的高度。任何一位航空军医或科学家都会告诉您，从这样一个实验中获得的科学数据将会带来长久的利益。

随信附上我此前与美国国家航空航天局的通信来往，一个剪贴簿和一些简报。我已经为此事工作、研究、祈祷了三年之久。不向总司令提出最后一次恳求，我是不会放弃的。请原谅我占用了您的时间，但

---

1. 由美国国家航空航天局牵头，联合空军、海军和北美航空公司推出的高超音速研究项目下研制的飞机。

我仍然认为此事至关重要,是值得您仔细考虑的。愿主能引领您做出决定。

> 我很荣幸仍旧是您最忠诚的公仆
>
> [签名]
>
> 杰里·科布小姐

—— 信件 17

我为你感到骄傲,我们的苏维埃女孩

瓦莲京娜·弗拉基米罗夫娜·佐尔金娜致瓦莲京娜·弗拉基米罗夫娜·捷列什科娃

1963 年 6 月 20 日

1963 年 6 月 16 日,在尤里·加加林成为第一个进入太空的男人两年之后,26 岁的瓦莲京娜·弗拉基米罗夫娜·捷列什科娃在 3 天时间里乘坐"东方 6"号飞船环绕了地球 48 圈,成了第一个完成同样任务的女性。

在成为航天员之前,捷列什科娃曾是一名纺织工人,但她对跳伞的兴趣以及加加林的成就,激励着她在 1961 年自愿参加了苏联的太空计划。经过 18 个月的培训,她是 5 名学员中唯一合格的女性。回到地球后,捷列什科娃收到了大量的信件,而这封信来自一位与她同名的 27 岁女性。瓦莲京娜·弗拉基米罗夫娜·佐尔金娜是俄罗斯城市新古比雪夫斯克一家炼油厂的高级机械师。

—— **信件正文**

瓦莲京娜·弗拉基米罗夫娜·捷列什科娃,祝你日安!

亲爱的瓦柳莎[1],与你同名的瓦莲京娜·弗拉基米罗夫娜·佐尔金娜向你致以问候。我为你感到无比高兴,因为你非常荣幸地进行了一次英勇的太空飞行,这可是苏联女孩在世界上的第一次。

亲爱的瓦柳莎!我为你的成就感到吃惊不已。我真是羡慕你那坚韧不拔的性格。我为你感到骄傲。当他们开始祝贺你和我时,我感到非常高兴,因为我的名字也是瓦莲京娜·弗拉基米罗夫娜。我与你一同分享这份喜悦。我没有足够热情又真诚的语言来感谢你的成就。非常感谢你。不是任何人都能取得这项英雄式的成就,也不是每个人都能得到如此殊荣。只有那些艰苦工作的人才能赢得它。我为你感到骄傲,我们的苏维埃女孩。

亲爱的瓦柳莎,我读过你的传记,它在一定程

---

1. 瓦莲京娜的昵称。

度上让我想起了自己的生平。我和你一样，在农村出生。我的父亲开拖拉机和联合收割机。我们住在乡下的一间小房子里，里面只有一张床、一张桌子、一个箱子和一个炉子。我们七个人一起住在里面。我父亲去打仗了，再也没有回来。他死在了那里。而我们五个女孩则留在了妈妈身边，她独自把我们带大。在战争期间和战后的几年里，我们经历了多大的煎熬啊。我清楚地记得当时的生活状况。我们吃草，吃烂土豆，吃橡子，吃野菜，吃洋葱。好在我们有自己的奶牛，所以我们能喝到牛奶。我们的脚上没什么可穿的。冬天，我们不得不穿着凉鞋，把爸爸的一件衣服用绳子系在腰上，从村子里走去学校，来回各三千米，一直走到五年级。我以优异的成绩完成了学业。我是家里最小的孩子。我亲爱的妈妈费了很大的力气才把我们都养大。我对她的亏欠是无法估量的。我完成了十年的学校教育，然后又在技术学院学习了一年并获得了文凭。我现在在新古比雪夫斯克镇炼油厂的泵站担任高级机械师。我一边抚养着我的女儿柳多奇卡，一边在考虑去上技术学院。我每天工作八小时，还想继续学习。我的妈妈已经和我一起生活一年了。她很老了，已经68岁了。

亲爱的瓦柳莎,我为你是这么一个善良、有同情心的女孩而感到骄傲。你会在人们最需要的时候帮助他们。我每天都听着来自莫斯科的广播,和所有人一样,担心你的飞行与返程安全。你回来了!万岁!一切都进行得很顺利,真是太好了。祝贺你,瓦柳莎,祝贺你的英勇飞行和成功着陆。非常感谢你。送你很多的吻。

亲爱的瓦柳莎,希望你能抽出一点空闲时间给我回信。你在飞行中感觉如何?你的健康状况怎么样?如果可以的话,请给我寄一张照片来。我请求你。向你在天上的兄弟贝科夫斯基问好。

我祝愿你生活愉快,也愿你在个人生活上获得成功,还祝你健康。衷心感谢你的妈妈养育了这么一个女儿。我的女同事们都向你问好。我的丈夫费迪亚和我的老妈妈也向你问好。我真诚地感谢你的壮举,并为你感到无限自豪。这份快乐没有边界,没有限制。再次表示感谢,我亲爱的瓦连京娜。

我就不继续写了。暂时再见了。我期待着你的回信。深深地吻你,为你感到骄傲。

致以最温暖的问候

瓦连京娜·弗拉基米罗夫娜·佐尔金娜

—— 信件 18
一个拥有高级文明和智慧的种族
亚历山大·格雷厄姆·贝尔致梅布尔·哈伯德·贝尔
1909 年 11 月 29 日

帕西瓦尔·洛厄尔是一位商人兼天文学家。他的巨额财富让他拥有在亚利桑那州建立洛厄尔天文台的财力。1930 年,正是在该天文台发现了冥王星。但洛厄尔的热情所在是对火星的研究。更确切地说,他确信这颗红色星球上有一个可见的运河网络——意大利天文学家乔瓦尼·斯基亚帕雷利曾于 1877 年首次观测到这些运河。洛厄尔相信这些运河一定是由一个有智慧的文明建造,并用于灌溉的。他对此深信不疑,并出版了三本关于火星的书,吸引了许多追随者,其中包括电话的发明者亚历山大·格雷厄姆·贝尔。1909 年,贝尔在读了洛厄尔一篇关于金星及其荒凉性的文章后,写信给他的妻子梅布尔提出了一些想法。

—— **信件正文**

1909 年 11 月 29 日

亚历山大·格雷厄姆·贝尔夫人
华盛顿特区双橡园

亲爱的梅布尔:

我从船屋上写给你一些周日随想:

有智慧的尘埃

11 月 28 日:

世界的直径约为 12874 千米[1]。704 万个身高 1.8 米的人重叠站立,才会等同于世界的直径。

由此可见,一个人与他所站立的地球的比例,比一只干酪虫与它所在的奶酪的比例相比要小得多。

把世界缩小到一片奶酪的大小,把它看成是一个直径 0.3 米的圆球,如此之下,一个人会有多大呢?

---

1. 此数据根据原文换算而来。

他的身高会变得不到 0.3 米的七百万分之一，约为 1 厘米的 1/230974。一个完全微不足道的人，就算在最高倍的显微镜下也看不见他。

谁会想到，奶酪上的灰尘也能有生命和思想，而我们自身也只是世界表面上的尘埃——但也是有智慧的尘埃。

与我们相邻的世界

11 月 28 日：

我对帕西瓦尔·洛厄尔在《大众科学月刊》12 月号上关于金星的文章很感兴趣，尤其是他根据假定事实得出的结论：他认为金星一直保持同一个面朝着太阳，正如月球一直是同一个面朝着我们一样。

金星上的世界与我们现在所处的世界非常相似。它的大小和我们的星球差不多，被像我们星球一样的大气层包裹着。它是我们的隔壁邻居，是所有行星中离我们最近的一颗，在各方面都与地球最为相似。然而，在过去很长一段时间里，关于它自转周期的问题一直困扰着天文学家。如果像人们常说的那样，它每 24 小时左右自转一次，那么金星上的生存环境与我们地球十分相似，上面也很可能有相似的生命体存在。然而到目前为止，我们还没有观察到生命的迹象。如今，洛厄尔教授提出了一个事关星球旋转的陈述，几乎使我们失去了希望。

火星

我们另一侧的邻居火星，确实以与地球差不多的24小时为周期旋转着。

它比地球更小，大气密度也低得多，因此环境条件并不如地球一样有利于生命存活，但仍有迹象表明那里曾有生命，甚至是智慧生命的存在。

我们可以通过望远镜看到被皑皑白雪覆盖的两极，看着雪在太阳的照射下融化。我们可以看到火星表面某些地方的颜色变化——这表明有植被恢复进程的存在。然而，火星上真正有意思的是被称为运河的特殊标记。这种标记表明，可能曾有智慧生命在火星上居住过，并且他们有能力规划、建造庞大的灌溉工程。

当然啦，从我们所处的位置根本不可能亲眼看到灌溉渠。然而不论我们观察到的直线是什么，肯定都是热渠。从地球上观测到的火星上那些最细的线条，实际上也有几千米宽。而我们盼望的，是可以观测到与灌溉渠相邻的植被带。从地球上看，一条宽达六七千米的灌溉地看上去可能只是一条细窄的线，类似于火星上所谓的"运河"。

而我们在火星上实际观测到了些什么呢？我们能看到北极地区的雪盖在融化。而随着雪开始融化，运河开始出现。首先是在极地地区附近，然后进一步延伸到南方。洛厄尔教授将此解释为，当冰盖融化时，火星上的居民会把水输送到沙漠地带，并灌溉他们的农作物。

当我们第一次观测到这些直线，即运河时，它们的颜色是深绿色的，是庄稼的颜色。随着季节变化，庄稼应该是成熟了，于是它们会变成红褐色。在这之后，所谓的运河会完全消失——庄稼已经被收割完毕，感恩节已经到来。明年，运河会在同一季节再次出现，并经历一系列同样的变化。

这些直线或运河的排列方式是经过精心设计的。要说出个所以然估计有点困难。但若是看一眼火星地图，就会明白我的意思。

如果我们俯视类似华盛顿特区的美国城市时（它

在修建前是以整体为单位进行规划的），我们会得到一种类似地图的视觉效果。从足够远的距离来看，公园和房屋会成为一个个有颜色的斑点，而由街道形成的线条穿插其中。我们深知这种由线条形成的图案不可能是自然形成的。从它们的排列布置里，我们会立马识别出设计的存在。而火星上的线条也以类似的排列方式暗示了对布局的事先设计。

假设这些线条的确是自然形成的，它们一定会在某些地方交会。但是，在意外形成的交会中，很少出现超过两条线在同一点上相交的情况。然而在火星上，若干条线在同一点上交会的情况极为常见。这并不是什么罕见的场景。

这些线条的布局强有力地显示了人为事物的存在，以至于我们会不可避免地认为，我们看到的作品可能出自居住在火星上的智慧生命之手。

要精准地打造一条 1000 千米长的直线线路需要的是最高级别的数学能力与测量能力。如果不参照如太阳、星星和火星的卫星之类的外部物体，类似的直线工程估计是无法完成的。因此这项工程还涉及了天文学知识。

如果要执行我们在火星上观测到的大工程，强大的工程能力和最高等级的智力是必需的。这项工程的困难程度不亚于利用北极地区的冰作为整个地球的供水来源,并将水分配到干旱地区用以灌溉。

如果斯基亚帕雷利、洛厄尔和其他人描述的相交会的直线如他们图画所示的一样存在,那么我们会认定:火星上居住着一个拥有高级文明和智慧的种族,他们正在进行农业生产,并通过从极地带来的水来灌溉土地,以在沙漠中努力生存。

金星

即使火星距离我们十分遥远,还拥有着与地球迥然不同的环境,我们还是在上面发现了生命的迹象。然而,在距离我们最近的邻居金星上,这种迹象却没有出现。这似乎很奇怪。金星是地球的姐妹行星,和地球如同双胞胎一般。

迄今为止,我们一直将失败的原因归结于观测的困难。当金星处于离我们最近的位置——也就是位于我们和太阳之间——呈现在我们视野中的是她黑暗的一面。当她把明亮的一面转向我们时,太阳又挡在了我们和她之间,导致我们根本看不清。而火星在离我们最近的时候，呈现出的是他明亮的一面。这样的情况导致我们对火星的了解要比我们对近邻金星的了解要多得多。

洛厄尔声称，金星并不像地球和火星那样绕着自旋轴快速旋转；而是像水星一样，不断地保持一侧正对太阳。

由此，他得出了一个有趣的但令人失望的结论。

他向我们描绘了一个一边被烧焦，而另一边被冰封的世界，因此不可能有任何生命存在。他声称，海洋在受热的一面蒸发了，在另一面又沉积成了冰和雪。寒冷的飓风夹杂着灰尘和石头，从各个方向刮过受热的半球，在地面撕裂出深深的辐射状沟壑。在弗拉格斯塔夫天文台[1]的望远镜中可以隐约看到这些沟壑。洛厄尔说，这个半球上受热的空气从上方溢出，流向了黑暗而冰冻的半球，却没有带着能沉积在那里的水——因为在受热的那个半球，海洋早就干涸了。

受热的半球有着永恒的白昼，根本没有云来缓和太阳的热量。没有水，没有生命，只有一片炙热的沙漠。在冰冻的一面，只有永恒的黑夜和被冰雪覆盖的

---

1. 即洛厄尔天文台。

大陆。那儿有着远低于地球北极温度的寒冷,接近太空的绝对零度。多么荒凉的景象,我们曾期盼在那里发现一个富有生机的世界。

科学家认为,所有围绕太阳运动的行星都像陀螺一样在轴上快速旋转。然而,这些行星的卫星和太阳产生的潮汐效应起到了刹车作用,减缓了它们的旋转速度。长久以来,人们一直推测离太阳最近的水星已经减速到了一年只进行一次自转的程度,从而保持一个面持续地对着太阳。而据说在它之后的金星目前也处于同样的状态。

从太阳开始依次排列的第三颗行星便是我们居住的世界。有证据表明,地球的旋转速度也在逐渐变慢。我们的世界是否也会面临水星和金星的命运呢?正是这个想法让洛厄尔的研究变得尤为有趣。

当然,就我们自己而言,目前还不需要为这个问题感到担忧。我们之后的数代后人也不会有任何危险。让我们感到些许宽慰的是,地球要达到想象中的那个最终状态仍需要数千年之久。到时候太阳将静止悬挂在天上,昼夜更替也将不复存在。

然而,如果天文学家是对的,这个时刻终究会到来。地球的一半将经历无止境的炙热白天,另一半将陷入无尽的极夜。届时，人类将何去何从？是否会有人幸存下来，继续延续他们的种族，抑或是所有的生命都会从这个苦难的世界上永远消失？我们向金星寻求光明，但它呈现的却始终是黑暗面。

尽管金星的一面受着炙烤，一面经历着严寒，但在对立的环境下肯定会有一个平衡点。在这颗行星的周围一定有一条狭窄的区域，一块能让生命在冰冻和炙烤之间得以生存的温带。在这个区域，太阳将永远低悬在地平线上，既不会落下而带来严寒，也不会高悬着炙烤。生命将在那个地方得以栖息。

我把我的信仰寄托在这个狭窄的生命之环的存在上，我还没有对人类的安危感到绝望。

AGB[1]

---

1. 亚历山大·格雷厄姆·贝尔名字的缩写。

我们自身也只是世界表面上的尘埃——但也是有智慧的尘埃。

——亚历山大·格雷厄姆·贝尔

—— 信件 19

我在天空守护着你

杰瑞·M. 利宁杰致约翰·利宁杰

1997 年 1 月 23 日

    1997 年 1 月 12 日，41 岁的美国宇航员杰瑞·利宁杰吻别了怀着身孕的妻子和 14 个月大的儿子，登上了"亚特兰蒂斯"号航天飞机，前往和平号空间站。他将与两名俄罗斯宇航员瓦西里·齐布利耶夫和亚历山大·拉祖特金会合。利宁杰在太空中停留了创纪录的 132 天。在此期间，他和他的队友们遇到了许多问题，最危险的是一场燃烧了 14 分钟的大火，几乎摧毁了空间站和里面的所有人。利宁杰在驻扎期间写了许多家信，以下只是其中三封。他于 5 月 24 日安全返回地球。他的妻子在几个月后生下了他们的第二个儿子。

—— **信件正文**

1997年1月23日

亲爱的约翰：

在这次飞行前，我决心要做一个好父亲，每天都给你写信。这是我在这一方面的第一次尝试。

我明白你只有一岁。尽管我和所有父亲一样，都会吹嘘孩子的才能，我还是不觉得你目前有读这封信的能力。没关系。当你能读的时候，你就会明白你的父亲有多爱你。

太空飞行是件很危险的事。我曾经觉得它就是小菜一碟，但在这次发射前，我开始质疑起了自己马上要做的事。你瞧，现在我拥有的是如此之多，能失去的也是如此之多——那便是你和你的母亲。

我一直很喜欢冒险。我记得自己曾把小学图书馆里的一个名叫奥顿的作家写的所有侦探小说都读完了。我总是试着提前猜到结局，对情节做出预判，观察情况，并尝试预测结果。通过阅读处于不寻常情况的人们的故事，我得以研究他们是如何受到挑战，又是如何应对的。

无论如何，正是这样的好奇心促使我进入了空间站。当然啦，我在很多所学校就读过，在我们伟大的美国海军中也表现良好，并经历了所有机械式的申请和面试过程。但驱动着我完成这一切的根本品质是我永不满足的好奇心。

太空是一个全新的领域，而我正在这个领域进行探索。五个月！这是何等的荣幸啊！

但我的确非常想念你。我想看到你跌跌撞撞地走过转角，在我故意露出"没想到在这里看见你"的惊讶表情时，你会放声大笑，然后我再看着你跌跌撞撞地走出房间，去另一个房间对妈妈做同样的事。约翰，你是世界上最好的儿子。

即使我现在正在地球上方飘浮，我仍然是个地球人。我和地球人一样，能感受到分离的痛苦，能感受到作为父亲的骄傲，也能感受到丈夫远离妻子后的孤独。这种感受甚至比平常更为强烈。

晚安，儿子。我在天空守护着你。

爸爸

***

1997年3月29日

你好,约翰:

人们常常问我最想念什么。

当然是想念你和你妈妈了,还有我的家人和朋友。

但我也想念新鲜的空气吹过我的脸庞。绿油油的草地和摇曳的树木。鸟儿在鸣叫。郁金香在春天绽放。

冲个热水澡。在沙发上瘫着。枕着两个大枕头陷入沉睡。在长跑流汗后跳进游泳池。

在花园里修修补补。在夕阳西下时眺望湖面。感受阳光的温暖。乘着皮划艇在水面滑行,鱼儿在我身后跳跃。

椒盐卷饼、爆米花的香味,或者更好的是烘烤一些自制面包。跟你妈妈的晚餐谈话。拥抱。

安静的夜晚。蟋蟀。拍打着海岸的浪花。赤脚在沙滩上行走。散步。牵手。

我怀念地球上的一切琐碎小事——能拥有它们是

如此幸运，而我们曾经总认为这些都是理所当然。

约翰，在我着陆后，我会跟你平常一样，大大地睁着眼睛，重新发现生活的幸福点滴。父与子，手牵手，共同开启一段历险。

好好休息吧，我们以后可有得忙了。晚安。

爱你的

爸爸

* * *

1997 年 5 月 23 日

亲爱的约翰：

我换了个邮局。这封信是从"亚特兰蒂斯"号航天飞机寄出的。再过一天左右，我就可以回家了。

昨晚我们关闭了"和平"号空间站和航天飞机之间的舱门，以便为清晨出发做好准备。在轻轻推出之后，我们开始陆续点燃推进器。巨大的"砰砰"声一阵阵爆裂开来，与大炮发射的声音极为相似。随着我们的移动，"和平"号变得越来越小，然后更小。最后，缩小的空间站看上去像是群星之中一个毫不起眼的闪烁微光。

令人惊讶的是，当我离开这个居住了132天的"家"时，我几乎没有任何情绪。我猜我只是觉得时间到了。我已经完成了自己的职责，现在是该离开的时候了。这与几天前我看到"亚特兰蒂斯"号航天飞机抵达时感受到的那股强烈情感形成了鲜明对比。当我看到"亚特兰蒂斯"号接近"和平"号时，我感到了纯粹的欣喜与无拘无束的快乐。

我脑海里一直有这么一个画面：当你迈出第一步的时候，我会退后两步，让你站着，摇摇晃晃地扶着沙发的边缘。你会用询问的目光望着我。我确信你的目光中会写满你同时在问自己的问题："我能做到吗？还是会摔倒？"在我用安慰的话语或手势鼓励你之后，你会鼓起勇气，放开手，走到我的身边。

记者们一直在问我，在着陆后，我是打算靠自己的力量走出"亚特兰蒂斯"号，还是被抬出来。约翰，我会全力以赴地跟随你的脚步。我会拼尽全力走路、爬行，竭尽所能。但和你一样，我也要靠自己的力量来完成。

我期待着一两天后能站着抱起你。

爱你的

爸爸

—— 信件 20

若是仅仅局限于地球，
我们已经触摸到了极限

艾萨克·阿西莫夫致阿德莱·史蒂文森

1979 年 11 月 18 日

  1923 年，在作家兼生物化学家艾萨克·阿西莫夫 3 岁时，他们全家从苏联搬到了美国。阿西莫夫将在那里度过余生。在长达 40 年的多产生涯中，阿西莫夫一共写了 500 多本书。其中许多书——比如他史诗性的、定义了全新写作流派的《基地》系列小说——可以被归类为科幻小说的范畴。然而，他也写了许多具有教育意义的非虚构作品，例如《艾萨克·阿西莫夫的地球和太空指南》。阿西莫夫在书中解释了一些平常会在他的小说中出现的概念。阿西莫夫对一切天文事物都颇有研究，有时政治家会要求他就相关问题提出看法。1979 年，他给民主党参议员阿德莱·史蒂文森写了这封信，以回应类似的请求。

—— 信件正文

纽约州，纽约市

1979 年 11 月 18 日

阿德莱·E. 史蒂文森阁下

美国参议院

华盛顿特区

亲爱的史蒂文森参议员：

我在许多文章中都曾明确表示过，对太空的探索和开发不仅对美国有利，对于保存人类文明也是十分有必要的。

我们会从太空中获得物质资源、能源和科技成果——我们需要它们来让全人类持续成长、发展。若是仅仅局限于地球，我们已经触摸到了极限。

此外，国际合作必须成为现实，战争必须被废除。而只有当我们为一个伟大的、共同的项目放弃地方主义时，才能做到这一点。而太空正是唯一的项目。

我认为你和我有着相同的信念。你密切地参与着政治和经济的各个环节,因此相比之下,你比我更适合为实现这些目标制定确切路线。

我是个生活在象牙塔里的作家(也许还是个梦想家)。我认为自己完全没有资格在这些实际问题上为你提供建议。

艾萨克·阿西莫夫

我在许多文章中都曾明确表示过,对太空的探索和开发不仅对美国有利,对于保存人类文明也是十分有必要的。

——艾萨克·阿西莫夫

―― 信件 21

俗话说的"真的很好"的科幻电影
斯坦利·库布里克致亚瑟·C.克拉克
1964 年 3 月 31 日

著名电影导演斯坦利·库布里克通过这封信接触到了作家亚瑟·C.克拉克。库布里克在信中表示出了对两人合作的兴趣,克拉克对此也非常热衷。仅仅三周后,即 4 月 22 日,两人在纽约的广场酒店见了面。据克拉克说,他们"整整谈了 8 小时的科幻小说"。四年后,他们具有开创性的合作成果《2001 太空漫游》上映了。这是一部真正的电影史诗:影片跨越了时间与空间,囊括了太空旅行、人类进化和外星生命。这部影片被认为是电影界的一个里程碑。

—— 信件正文

索拉里斯制片有限公司

1964 年 3 月 31 日

亲爱的克拉克先生：

这实在是太巧了：我们的共同好友卡拉斯在一次关于魁星望远镜的谈话中提到了您。我对您的书欣赏已久，并且一直想和您聊聊，看能不能一起拍摄一部俗话说的"真的很好"的科幻电影。

我的兴趣囊括了以下这些广泛的领域，自然而然会就伟大的情节和角色做出设想：

1. 相信外星智慧生命存在的理由。

2. 在不久的将来，此发现对地球产生的影响（也许在某些方面甚至没有影响）。

3. 一个能登陆并探索月球和火星的太空探测器。

罗杰告诉我说，您打算今年夏天来纽约。您的行程已经完全定好了吗？若是还没有，请问能不能考虑和我进行一次会面？目的是看看有没有什么好点子能让我俩都感兴趣，一起合作编写剧本。

············

  顺便说一下,《天空与望远镜》杂志刊登了一些望远镜的广告。如果在基座上有足够的空间放置一个中等大小的望远镜,比如大约和相机三脚架一样大,有没有特定的型号属于这个大小范畴呢?就像魁星主要是用于小型便携式望远镜一样?

向您致意
［署名］
斯坦利·库布里克

—— 信件 22

亲爱的儿子

马里恩·卡彭特致马尔康·斯科特·卡彭特

1962 年 5 月

马尔康·斯科特·卡彭特是被美国国家航空航天局选入参加"水星"计划的七名宇航员之一。该计划是美国完全专注于将人类发射进入太空的计划。1962年5月24日,卡彭特在佛罗里达州的卡纳维拉尔角登上了"曙光7"号航天器,绕地球飞行了三圈。他是第二个绕着母星飞行的美国人。在这段历史性旅程的前夕,卡彭特的父亲马里恩自豪地给他写了这封信。

—— 信件正文

> M. 斯科特·卡彭特
>
> 帕尔默湖
>
> 科罗拉多州

亲爱的儿子：

在你即将开启一场伟大冒险的前夕，我想说几句话。你久经训练，也对此期待已久。我想让你知道，我们都与你同在。

正如我在这项太空计划开始时对你说的一样，你有幸身处一个规模宏大——事实上，是人类已知的最大规模——的先驱项目之中。我大胆预测，在欢呼声响起、公众的赞誉成为记忆之后，你会平静地意识到自己已经发现了新的真理，并会因此获得最大的满足。你可以对自己说：我看到了这个，我经历了那个，我知道这就是真理。这种经验是弥足珍贵的。所有从事研究的人都明白它的珍贵。无论他们在哪个领域努力，都曾冒险进入未知领域，并发现新的真理。

你估计已经意识到，至少在信奉任何正式教义的层面上来看，我是没什么宗教信仰的。然而，我无法想象一个被赋予了智慧的人,在看到他四周有序的宇宙、山顶的光辉、热带鸟类的羽毛、错综复杂的蛋白质分子、亘古不变的完美盐晶体时,仍会否认某种更高力量的存在。无论我们是称它为上帝、穆罕默德、青绿色女人[1]还是概率论都不重要。我发现在自己的写作中,常用"大自然母亲"和"她"来解释事物,也会说"她"在掌控宇宙秩序。对我来说,"她"就是那位令人满意的神灵。因此,我祈求她能守卫你、保护你。如果她愿意的话,请她与你分享一些秘密——她通常很愿意与那些有着崇高目标的人一同分享。

全心全意爱你的

爸爸

---

1. 青绿色女人(The Turquoise Woman),又名阿赫松努特利,意为"变化的女人",是一位纳瓦霍族神话中的创造神。

—— 信件 23

米切尔小姐的彗星

威廉·米切尔致威廉·克兰奇·邦德

1847 年 10 月 3 日

    玛丽亚·米切尔出生于 1818 年,是美国第一位职业女天文学家,第一位被选入美国艺术与科学院的女性,也是第一位成为天文学教授的女性。她从 1865 年到 1888 年一直在纽约的瓦萨学院担任教授职务。她在 1847 年 10 月 1 日发现了 C/1847 T1 彗星。两天后,意大利天文学家弗朗西斯科·德维克也发现了这颗彗星。在米切尔发现彗星的消息传到欧洲之前,这颗彗星曾暂时以他的名字命名。事件发生后不久,她的父亲敏锐地意识到了女儿的成就和应当立即报告它的必要性,于是通过信件提醒了哈佛大学天文台的负责人。C/1847 T1 现在被称为"米切尔小姐的彗星"。

—— 信件正文

楠塔基特岛

1847 年 10 月 3 日

亲爱的朋友：

我写信只是想告诉你，玛丽亚在本月一日晚上十点半发现了一颗可由望远镜观测到的彗星。彗星在当时与北极星位置垂直，略高 5 度。昨天晚上，彗星已向西推进；今天晚上还在进一步推进，并接近了极点。它没有发光，但玛丽亚已经得到了它的赤经和赤纬[1]，却不愿意让我宣布对它的发现。请告诉我这是不是乔治的彗星之一？如果不是，有没有人曾经见过它？玛丽亚觉得那只是颗常见的彗星。如果方便的话，麻烦给她捎个信吧！非常感谢你的帮助。我预计在一两天后会出门一趟，下周我会去到波士顿。我希望在见到你之前让她先听到你的消息。我希望这不会给你繁忙的工作带来太多麻烦。

向你致以我们所有人最诚挚的问候

威廉·米切尔

---

1. 天文学使用的两个赤道坐标系统的坐标数据。

—— 信件24
还有人认为应该送个诗人去月球
朱利安·谢尔致乔治·M. 洛

1969年3月12日

    1969年7月20日,全世界大约有6.5亿人屏气凝神地看着尼尔·阿姆斯特朗走下登月舱的阶梯,踏上了月球表面。这是一个无与伦比的重要时刻,此前从未有过先例。在这之前,从来没有这么多人的注意力如此汇集到一个人身上。正是在那一刻,阿姆斯特朗在月球上迈出了人类的第一步,说出了那句后来被载入史册的话:"这是一个人的一小步,却是人类的一大步。"紧接着的是巴兹·奥尔德林的话语:"景色真美,壮丽的荒凉。"

    阿姆斯特朗在后来谈到他的用词时说:"那是我在着陆后想出来的。"两位宇航员在后来都明确表示过,他们说出口的都是自己的话语,并没有事先经过美国国家航空航天局的指导。这封引人入胜的信件是美国国家航空航天局的发言人朱利安·谢尔在飞船发射前几个月写的。信中讨论的正是这件事。

—— 信件正文

美国国家航空航天局

华盛顿特区

邮编 20546

1969 年 3 月 12 日

乔治·M. 洛先生

经理

阿波罗飞船计划

美国国家航空航天局载人航天中心

得克萨斯州休斯敦，邮编 77058

亲爱的乔治：

我了解到您正在寻求美国国家航空航天局以外的人的建议，事关登月宇航员们踏上月球之后该说什么话。出于某些原因，这让我十分不安。

关于在此次具有历史意义的飞行中可以携带哪些资料或物品登上月球表面这一问题，美国国家航空航天局此前已经在内部征求了建议。但我们没有针对宇航员会说的话去收集意见。我个人认为此事毫无必要。然而，如果把我们正在就此事征求意见的消息传出去，会造成很大的伤害。关于宇航员会携带哪些物品的最终决定权属于一个由局长亲自设立的委员会。委员会和航空航天局都不会就宇航员讲话的内容做出建议。

弗兰克·博尔曼曾经就适合在平安夜广播的内容[1]来寻求我的建议。我认为——现在也这么认为——如果人们知道美国国家航空航天局事先计划了这件事，那么他朗读《圣经》的效果将会被大大削弱。尽管我的确有一些想法，我还是拒绝了从官方或是个人层面为他提出建议。我当时相信，现在也同样相信，对于"阿波罗11"号的机组成员们来说，在如此具有历史意义的时刻，探索者们自己的感受才是最真实的情感，而不是让宇航员在出发前接受指导，或在他们的裤子口袋里放一份事先准备好的文本。

由威利斯·沙普利主导的月球样本委员会要求美国国家航空航天局的所有成员都思考一下"阿波罗

---

1. 详见第六封信。

11"号上该带些什么。我知道菲利普斯将军[1]已经适当地重申了这一要求,让参与载人飞行工作的所有相关人员都提出建议,但委员会的愿望或意图并不是将征集的范围扩大到口头交流。

或许有些人会担心,第一个接触到月球表面的宇航员会不会说出一些戏剧性的话语。我认为这种担心是没有必要的。还有人认为应该送个诗人去月球。哥伦布不是诗人,他也没有提前准备好文本。但在我看来,他的话算是挺有戏剧性的。当他看到加那利群岛时,他写道:"我靠岸了,看见人们光着身子跑来跑去。这里有非常绿的树,很多水,还有很多水果。"

在"阿波罗8"号发射的200年前,詹姆斯·库克[2]船长在观看金星凌日[3]时记录道:"我们能非常清楚地看到,有一圈大气层或是昏暗的阴影围绕在这个星球四周。"

---

1. 菲利普斯将军(Samuel C. Phillips,1921—1990),美国空军将领,阿波罗登月计划负责人。
2. 詹姆斯·库克(James Cook,1728—1779),英国探险家,曾三度奉命前往太平洋,和船员一起成为首批登陆澳大利亚东岸和夏威夷群岛的欧洲人。
3. 金星凌日指太阳和地球之间的金星像暗斑一样掠过太阳盘面。

梅里韦瑟·刘易斯曾与威廉·克拉克[1]同行。他记录道："我们在营地里非常高兴。我们看到了海洋——令我们渴望已久的壮阔的太平洋。我们可以清楚地听到海浪的咆哮，和它拍打岸边的岩石发出的噪音。"

1909年，皮里[2]到达北极时，已经累得说不出话了。他去睡觉了。第二天，他在日记中记录道："终于到了极点。三次冒险后的奖励。我仍然无法意识到这一点。这一切看上去是那么简单又平凡。"

这些伟大的探索者的话语会让我们对探索者有所了解。我希望尼尔·阿姆斯特朗或巴兹·奥尔德林能说出他们当时的所见所想，而不是我们认为的他们应当说出口的话。

经常有人问我，美国国家航空航天局是不是真的计划对宇航员的发言提出建议。我谨代表航空航天局回答"不会"。

---

1. 梅里韦瑟·刘易斯（Meriwether Lewis，1774—1809）与威廉·克拉克（William Clark，1770—1838），皆为美国著名探险家，两人曾主导美国国内首次跨越大陆西抵达太平洋沿岸的往返考察活动。
2. 皮里（Robert Peary，1856—1920），美国极地探险家，曾多次探访格陵兰岛。

如果您能提供一些意见,我将非常感激。

此致敬意

朱利安·谢尔

公共事务助理行政长官

抄送:

尼尔·阿姆斯特朗

迈克尔·柯林斯

巴兹·奥尔德林

这些伟大的探索者的话语会让我们对探索者有所了解。

——朱利安·谢尔

—— 信件 25

那会是人生中最重要的旅行
巴兹·奥尔德林致巴里·戈德曼
1997 年 9 月 25 日

  从美国西点军校毕业 12 年后,埃德温·E.巴兹·奥尔德林在朝鲜战争中执行了数十次战斗任务,并于 1963 年被美国国家航空航天局选中,成为一名宇航员。三年后,他乘坐着"双子座 7"号飞船绕地球飞行。众所周知的是在 1969 年,登月舱在月球表面着陆后,奥尔德林成为继尼尔·阿姆斯特朗之后第二个踏上月球的人类。在奥尔德林辉煌的职业生涯中,曾收到成千上万封来自各式各样的人的信件。1997 年,他给马里兰大学的一位教授回了这封信。

—— 信件正文

巴兹·奥尔德林

1997 年 9 月 25 日
巴里·戈德曼教员
马里兰大学

亲爱的戈德曼先生:

我写信给你是想与你分享我对登月经历的一些个人想法和思考。

我经常用"壮丽的荒凉"来描述月球。它岩石状的地平线在深黑色的太空中蜿蜒,让我们深深明白自己是站在一个在宇宙中旋转的球体上。

当我把美国国旗插进尘土飞扬的月球表面时,我有了个不太寻常的想法:有十亿人正通过电视看着我。在此之前,人类从来没有像我们一样走得这么远,也不会像当时一样,有如此之多的人想过这么一天。

我认为,那些记得起事情发生时自己在哪里的人所展现出的精神和参与感,让我在这些年里更清楚地意识到,月球漫步为所有参与其中的人都带来了价值。每个人都对国家能实现这一目标而感到高兴——为世界以及人类可以做到这一点而感到高兴。

我有自己在月球上的快照。它们将会一直让我回想起那个陌生而迷人的地方。在未来的某一天,当人们在考虑他们的度假计划时,我希望他们会选择飞向太空。那会是一生中最重要的旅行!

至于你提出的事关 50 年后太空探索的问题:所有的逻辑都能归结成一个简单事实——我们将带着让我们人类独树一帜的精神与奇迹在火星上行走。

诚挚的

巴兹·奥尔德林

从火星直至星空!

"阿波罗 11"号

在未来的某一天,当人们在考虑他们的度假计划时,我希望他们会选择飞向太空。

——巴兹·奥尔德林

—— 信件 26
我或许可以为总统提供帮助
雷·布雷德伯里致小亚瑟·史列辛格；
约翰·F. 肯尼迪致雷·布雷德伯里
1962 年 4 月 /6 月

从 1957 年苏联发射"斯普特尼克 1"号开始，太空竞赛便充满了此前令人难以想象的成就和诸多第一次。对于太空爱好者来说，这是一段激动人心的时期。从 1958 年美国国家航空航天局的成立，到两支由无法用言语形容的聪明人组成的超级竞争团队将各种卫星、人类和动物送上了天空，苏联和美国的一举一动都加剧了这种紧张气氛。因此，难怪像雷·布雷德伯里这样有才干和经验的科幻作家也会想以某种方式参与进来。1962 年，在业界专家和肯尼迪总统一起去西雅图参加和平利用外层空间会议几周前，布雷德伯里给总统顾问小亚瑟·史列辛格写了这封信，明确表示自己愿意为政府提供服务。随信还附上了他创作的书籍的副本。两个月后，肯尼迪给了他一封简短的感谢信。然而在信中，布雷德伯里的提议并没有被提及。

—— **信件正文**

1962 年 4 月 30 日

小亚瑟·史列辛格先生
白宫
华盛顿特区

亲爱的亚瑟（如果我能这么称呼你）：

你可能想知道我在上周四的电话之后发生了什么事。周五一般都是我不从事主业的日子之一：我在一千多平方公里的洛杉矶地区四处奔走、开讲座。因此，与其再次尝试打电话，我决定写下这封信。

我通过航空邮件另寄了两套我的全部书籍。一套签名版是给你的，另一套签名版是给总统和总统夫人的。

我寄出这些东西是出于以下原因：

我们正在进一步深入太空时代。你一定能想象，对我来说这是个非常激动人心的时刻，毕竟我从 12 岁开始就在写这方面的东西了。现在，我听说和平利用外层空间会议将在西雅图举行。肯尼迪总统和来自世界各地的 1500 位太空旅行领域的顶级科学家将会出席。几天后，我将作为特别嘉宾参加西雅图博览会。我们的生活因这样的活动而有了更紧密的联系。

我或许可以在某个领域为总统，或是你，或是为其他与总统一起工作的人提供帮助。可以是在写作领域，也可以是在其他领域里为你们派上用场。

我马上要创作完一部 14 分钟长的电影《伊卡路思·蒙特高尔菲·怀特》。影片以人类古老的飞行欲望为灵感。这部短片是由本地的福玛特电影公司制作的，采用了半动画色彩。在影片完成后，我希望能放给你们看看，或许也能给总统看看。

几周后，我将开始在 NBC 的"监听"电台节目上发表一系列简短演讲。内容将涉及太空时代的方方面面：音乐、诗歌、绘画、建筑、心理学等等。节目将在全国各地播放。

我的太空时代独幕剧将于今年夏天在伦敦的皇家宫廷剧院上演。

今年冬天，我的《火星纪事》舞台剧将在巴黎的奥德翁剧院上演。法国演员、哑剧演员兼导演让-路易斯·巴劳特会为这部剧开场。

《四百击》的导演弗朗索瓦·特吕弗将于今年秋天在法国将我的《华氏 451 度》拍成电影。

所以你瞧，我在许多领域都构思过、写过太空时代，并且现在也仍然在这么做。

我在书里标注出了这些故事，特别是在《太阳的金色苹果》和《永远下雨的那一天》里。我觉得你和总统会对这些故事感兴趣的。

很多人都了解前往太空的各类项目，然而只有少数人会从美学或其他角度来解释我们在太空中的目的。我经常会尝试这么做。

如果总统认为我能以任何方式为他或政府服务，以我的特殊才能，我很乐意为宣传太空时代做出帮助——因为我们都很希望看到它被大力宣传，这是一个走向和平与生存的举动。

如果你愿意的话，可以把这封信给总统看。

向你致以诚挚的问候
雷·布雷德伯里

* * *

1962 年 6 月 21 日

亲爱的布雷德伯里先生：

我很高兴通过（小）亚瑟·史列辛格收到了你寄

来的四册书籍。能得到你如此慷慨的著作选集令我十分欣喜。如此,我将有机会同时沉浸在幻想和科学现实之中。我从很多渠道都听说过你的才华,也希望有机会能亲自体会。

致以最良好的祝福

真诚的

约翰·F. 肯尼迪

我很乐意为宣传太空时代做出帮助——因为我们都很希望看到它被大力宣传。

——雷·布雷德伯里

—— 信件27
让冥王星再次成为一颗行星
卡拉·露西·奥康纳与美国国家航空航天局
2017年4月

　　冥王星在连续76年里一直被认定为太阳系的第九颗行星。美国天文学家克莱德·汤博于1930年2月18日在柯伊伯带——一个环绕太阳的环形物体群——中发现了这颗由冰和岩石组成的实体。尽管冥王星的宽度只有美国的一半,它却是柯伊伯带里面体积最大的。在冥王星上,一天有约153个小时长。2006年,冥王星被国际天文联合会重新划分为矮行星。至少在公众眼里,它是被降了级。这一有争议的决定让美国国家航空航天局至今还在收投诉信。2017年,该机构收到了一个名叫卡拉的年轻女孩的来信。针对她的担忧,卡拉收到了不止一个,而是两个答复。

—— 信件正文

致美国国家航空航天局：

我叫卡拉·露西·奥康纳，来自爱尔兰的科克。我今年5岁，在格拉辛女子学校的幼儿班学习。我在最近开始看起了关于外层空间的视频，因此我对天文学非常感兴趣。

我写信给你（我的老师奥多诺万小姐提供了帮助，因为我还在学习拼写所有单词）是因为我有一个忧虑。我听了一首歌，歌的结尾唱道"把冥王星带回来"，我真的希望这事能实现。冥王星在2006年被重新分了类。冥王星曾经是一颗行星，我认为这挺公平的。但现在，冥王星不再是一颗行星了，这就不公平了。现在它是一颗矮行星。矮行星是一种没有大到能清除出一条轨道的星体。有些矮行星位于柯伊伯带。那儿还有岩石和小行星。

我真的觉得冥王星应该像水星、金星、地球、火星、木星、土星、天王星和海王星一样再次成为主要行星，因为我看过的一个名为"让我们去认识行星"的视频最后有冥王星。我还听了几首关于冥王星的歌。在某个视频里，人们打扮成了不同的行星，而冥王星被放进了垃圾桶里，还被地球吓到了。这真的很坏，因为任何人或行星或矮行星都不该被放进垃圾桶里的。

我真心希望美国国家航空航天局的人们能改变主意，让冥王星再次成为一颗行星。

在我满 6 岁的时候，我希望能发现一颗属于自己的星球，然后把它命名为独角兽星。我想访问包括冥王星在内的所有主要行星。希望有一天，我可以成为一名宇航员，在美国国家航空航天局为你们工作。但你们需要为我解决这个问题。

如果你们可以尽快给我回信，我会非常高兴的。

满满的爱
卡拉·露西·奥康纳

又及：我会在夏季演出中扮演金发姑亮[1]，万一你想来看看呢。

---

1. 原文误，应为：姑娘。

***

西南研究院

亲爱的卡拉:

我收到了你的来信。我不在美国国家航空航天局工作,而是在美国国家航空航天局的"新视野"号飞船上工作。这艘飞船在 2015 年经过了冥王星。谢谢你的来信,以及你对冥王星的兴趣。我认为年轻人——尤其是女孩——对行星展露出兴趣是件非常好的事。我在伦敦附近长大,我小时候也对行星很感兴趣。

你说得对。冥王星被认定为矮行星了。和我一起工作的一些人认为这是正确的,而另一些人又不这么认为。我也不太确定。一方面,我认为让事物被正确地归类是件好事。这样有助于我们去更好地理解它们。打个比方说,如果我们能更好地了解某一条鱼,就会有助于我们去了解所有鱼,而不仅仅是那一条了。然而,我想对于很多人来说,冥王星是非常重要的。他们觉得,如果我们过去认定它是一颗行星,就应该继续保持。我觉得冥王星非常重要,但冥王星估计才不关心地球上愚蠢的人们会怎么称呼它呢。所以我只是称它为我最喜欢的天体,让其他人去争论它叫什么吧。

我觉得独角兽星球会很棒的。我猜星球上会有很多彩虹,住在那里的人都会很开心。现在在恒星周围,有很多行星正在被发现。所以我觉得,如果你在学校里努力学习(特别是数学和科学),估计很快就会发现独角兽星的。

继续加油吧。我们需要人们去猜想外面还能发现些什么。

此致

卡莉·霍韦特博士

美国国家航空航天局"新视野"号飞船

拉尔夫仪器[1]副首席研究员

空间研究部代理助理主任

高级研究科学家和外太阳系部门经理

---

1. 由可见光成像相机和线性标准成像光谱阵列组成的仪器。

西南研究院

科罗拉多州，博尔德市

邮编 80302

美国

* * *

美国国家航空航天局

科学任务理事会，行星科学部

2017 年 8 月 1 日

亲爱的卡拉·露西：

感谢你的来信，以及你对美国国家航空航天局和太空的兴趣！我是美国国家航空航天局行星科学部的主任。这意味着我负责监督所有针对行星的任务，其中就包括冥王星。

你是对的。冥王星在大约 11 年前被重新归类为矮行星。这是由一个被称为国际天文联合会的天文学家小组做出的决定。

我同意你的观点，冥王星真的很酷——说实话，谁能相信冥王星里居然有一颗心呢？自从我们的"新视野"号航天器飞过冥王星后,我们便了解到冥王星其实并不是一块无聊的有着坑洞的岩石。它是一个似乎在不断变化的迷人世界。对我来说,冥王星是否是颗矮行星并不重要。重要的是,冥王星是个迷人的地方,而我们需要继续研究它。

我希望你能发现一个新的行星。我相信,如果你继续在学校里表现优秀,我们总有一天会在美国国家航空航天局看到你的。

真诚的

[署名]

詹姆斯·L.格林博士

行星科学部主任

—— 信件 28

发生月球灾难时

威廉·沙费尔致 H.R. 霍尔德曼

1969 年 7 月 18 日

很难想象有哪封信会比这封更令人恐惧了。这封信是由总统的演讲撰稿人威廉·沙费尔为白宫办公厅主任 H.R. 霍尔德曼精心撰写的。当时,全世界都在焦急地等待着"阿波罗 11"号安全降落在月球表面。这封信算是一份应急计划,其中包括一份演讲稿——如果宇航员尼尔·阿姆斯特朗和巴兹·奥尔德林未能返回,尼克松将向公众发表这场讲话;里面还包括让总统打电话将这一悲剧告知准遗孀的指示。庆幸的是,这份备忘录并没有派上用场。而余下的只是一个会令人毛骨悚然的提醒,即事态是有变糟的可能性的,以及那些高层人士为应对这种令人不敢细想的不测事件做了非常充分的准备。

—— 信件正文

收件人：H.R. 霍尔德曼
发件人：威廉·沙费尔
1969 年 7 月 18 日

发生月球灾难时：

命运已经被注定，去月球探索的人们将在月球上安息。

这些勇敢的人——尼尔·阿姆斯特朗和巴兹·奥尔德林，知道自己没有回来的希望。但他们也知道，在自己的牺牲中，人类会找到希望。

这两个人为了人类最崇高的目标，即寻找真理和理解，献出了自己的生命。

家人和朋友将哀悼他们；国家将哀悼他们；世界人民将哀悼他们；敢于把她的两个儿子送入未知世界的地球母亲将哀悼他们。

在他们的探索中，世界人民受牵动而融为一体；在他们的牺牲中，人类的兄弟情谊变得更为紧密。在古代，人们仰望星空，在星座中找寻自己的英雄。在现代，我们也会这么做。然而，我们的英雄是有血有肉的、史诗般的人物。

其他人将紧随其后，且一定会找到回家的路。人类的探索是不会被否定的。但他们是先驱者，也将在我们心中保持最重要的地位。

在未来的夜晚，每个抬头看月亮的人都会明白：在另一个世界，有一个角落是属于全人类的。

在总统发表演讲之前：

总统需分别给准遗孀打电话。

在总统发表演讲之后，美国国家航空航天局切断与他们的联络后：

神职人员应采取与海葬相同的程序，将他们的灵魂引领至"最深的地方"，最后以主祷文结束。

敢于把她的两个儿子送入未知世界的地球母亲将哀悼他们。

——威廉·沙费尔

—— 信件 29
显然我是可疑的、不可信的
尼尔·阿姆斯特朗致詹姆斯·惠特曼
2005 年 11 月 10 日

  2005 年 10 月,俄亥俄州一所高中的一名社会学教师通过信件向尼尔·阿姆斯特朗提出了一些问题。彼时已经是阿姆斯特朗成为第一个登上月球的人类之后的第 36 年。他惊人的成就被拍摄了下来,在全世界数亿人的家中直播。然而,尽管进行了电视转播,许多阴谋论者——包括惠特曼先生——多年来一直在争论登月的问题,认为这些镜头实际上是在离家更近的摄影棚里拍摄的,而"阿波罗 11"号的船员从没有成功地接近月球表面。他们中的一些人给"阿波罗 11"号的宇航员们写了信,但很少收到回复。然而,惠特曼先生正是那个幸运儿。

—— 信件正文

亲爱的惠特曼先生：

你在来信中用基于怀疑论者和阴谋论者的论调提出了质疑，这让我感到十分困惑。

他们使你相信美国政府针对其公民设计了一场巨大的骗局。而那40万为这个非机密项目工作的美国人都是这次骗局的同谋。并且没有任何人打破规定，去承认他们的欺骗行为。

如果你相信这是可能的，那你为什么要联系我？很明显，我是那40万个骗子中的一员。

我相信你作为一名教师，是个受过教育的人。你知道如何去联系拥有智识的且不会是这场骗局中的一员的人。

怀疑论者声称"阿波罗11"号从未抵达月球。你可以去联系在其他国家用雷达追踪此次飞行的专家们（英国的卓瑞尔河岸天文台，甚至是俄罗斯的学者们）。

你应该去联系利克天文台的天文学家们——在我安装好月球雷达测距反射器几分钟后，他们就发射了激光束。如果你觉得他们没什么说服力,可以去联系法国日中峰天文台的天文学家们。他们可以为你介绍一些仍在使用那些镜子进行测量工作的、来自其他国家的天文学家。你可以去一一联系他们。

或者你可以上网,联系一下世界上各个大学实验室里的研究人员,他们正在研究"阿波罗11"号带回来的月球样本。其中一些样本从未在地球上被发现过。

但你不应该来问我,因为显然我是可疑的、不可信的。

尼尔·阿姆斯特朗

你在来信中用基于怀疑论者和阴谋论者的论调提出了质疑,这让我感到十分困惑。

——尼尔·阿姆斯特朗

—— 信件 30

生日快乐，伙计

奈尔·德葛拉司·泰森致美国国家航空航天局

2008 年 7 月

    1958 年 7 月 29 日，在苏联发射了世界上第一颗人造卫星"斯普特尼克 1"号的促使之下，美国总统德怀特·艾森豪威尔签署了《美国国家航空暨太空法案》。基于这项法案，被人们称为 NASA 的（美国）国家航空航天局成立了。进展十分迅速。两年后，阿波罗计划诞生了。十年内，航空航天局已经将人类送上了月球。2008 年，正值美国国家航空航天局成立 50 周年之际，著名的天体物理学家、作家和位于纽约市的美国自然历史博物馆海登天文馆弗雷德里克·P. 罗斯主任[1]奈尔·德葛拉司·泰森写了这封庆祝信。

---

1. 国外部分职称前带有人名，往往是为了纪念那个人对此领域做出的贡献，或表明这个职位是受某个人、机构或基金会的赞助。

—— **信件正文**

亲爱的美国国家航空航天局：

生日快乐！也许你并不知道我们其实是同龄人。在 1958 年 10 月的第一个星期，你作为一个民用航天机构因《美国国家航空暨太空法案》诞生，而我的母亲在布朗克斯东区生下了我。因此，从我们俩满 49 岁的第二天开始，为期一年的黄金纪念日庆祝活动为我提供了一个独特的机会来思考我们的过去、现在和未来。

约翰·格伦首次环绕地球时，我才 3 岁。在我 8 岁时，发射台上的"阿波罗 1"号太空舱不幸失火，让你们失去了宇航员格里森、查菲和怀特。我 10 岁时，你们把阿姆斯特朗和奥尔德林送上了月球。我 14 岁时，你们已经完全终止了登月项目。在那段时间，我为你们和美国感到激动。但在我的情绪中，却没有其他人心中普遍存在的、专门对此次旅程的兴奋。对于成为一名宇航员来说，我还太年轻了。而且我也知道，我的肤色太黑了——你无法想象让我来成为这个史诗般冒险的一部分。不仅如此，尽管你们是一个民间机构，但你们最有名的宇航员都是军事飞行员，而当时战争正变得越来越不受欢迎。

在20世纪60年代，民权运动对我来说肯定比对你更真实。实际上，约翰逊副总统在1963年正式下令，才迫使你在亚拉巴马州亨茨维尔久负盛名的马歇尔太空飞行中心雇用黑人工程师。我在你的档案中发现了这些信件。还记得吗？美国国家航空航天局当时的负责人詹姆斯·韦伯给该中心的负责人也是整个载人航天计划的总工程师、德国火箭先驱韦恩赫尔·冯·布劳恩写了一封信。信中大胆而直截了当地指示冯·布劳恩解决该地区"黑人缺少平等就业机会"的问题，并要求他与该地区的亚拉巴马农工大学以及塔斯基吉大学合作，来发掘、培养并招募合格的黑人工程师加入美国国家航空航天局在亨茨维尔的大家庭。

1964年，你和我都还没有满6岁时，在布朗克斯区里弗代尔，我看到了我们选择的新公寓楼外的示威者。他们在抗议让包括我们在内的黑人家庭搬进去。我很高兴他们的努力失败了。如同预言一般，这些建筑的名字叫天景公寓。在布朗克斯区一栋22层高楼的屋顶上，我用我的望远镜对向了宇宙。

我的父亲非常积极地参加民权运动。在纽约市市长林赛的领导下,致力于为当时被人称为"内城"的贫民区的青年创造就业机会。年复一年,这些努力面对的是巨大的反对力量:糟糕的学校、糟糕的教师、贫乏的资源、卑劣的种族主义和被暗杀的领导人。因此,当你们在庆祝每个月由"水星"号到"双子座"号再到"阿波罗"号带来的太空探索进程时,我正看着美国尽其所能地边缘化我的身份和我的期望。

为了找到一个我既能实行又能激发我雄心的愿景,我朝向了你以寻求引导。然而你不在我身边。当然,我不该为了社会的悲哀来责备你。你的举动只是美国习性的一个表现形式,而不是原因。我明白这一点。即便如此,你还是该知道,在我的同事里,我是我们这代人中唯一一个并非因为你在太空中的成就而选择成为天体物理学家的人。为了获得灵感,我转而求助于图书馆,书店里关于宇宙的滞销书籍,我屋顶上的望远镜和海登天文馆。在我断断续续上学的那些年,在那个不友好的社会,成为一名天体物理学家的征程似乎只属于最坚韧不拔的人——而我成为一名职业科学家。我成了一名天体物理学家。

在随后的几十年里,你走过了漫长的道路。包括在最近,一个由总统发起、经国会认可的愿景宣言最终让我们回到了低地轨道。如果有人还没明白这场冒险对我们国家未来的价值何在,他很快就会意识到的,因为其他发达国家与发展中国家在技术和经济实力上已经超越了我们。不仅如此,从你的高级管理人员到最有成就的宇航员来看,如今你们看上去更像美国了。恭喜。你现在是属于所有公民的了。这样的例子比比皆是,但我尤其记得公众获得了你们最喜爱的无人驾驶任务——哈勃太空望远镜的所有权的那个时刻。在 2004 年,人们大声疾呼,最终扭转了可能无法对望远镜进行第四次维修的威胁,将其寿命再延续了十年。哈勃卓越的宇宙图像对我们所有人都影响深远,而负责部署和维修望远镜的航天员以及受益于其数据流的科学家们也是如此。

不仅如此,我甚至加入了你最信任的队伍,在你著名的咨询委员会中尽职尽责。我意识到,当你处于最佳状态时,这个世界上没有任何事物能如你一样能激发一个国家的梦想。这个梦想由一批批渴望成为科学家、工程师和技术专家的雄心勃勃的学生推动前进,为有史以来最伟大的征程服务。你已经是美国身份的一个重要组成部分。对美国来说是如此,对世界来说也是如此。

正逢我们俩都年满 49 岁，即将开始第 50 次环绕太阳的旅程[1]时，我想让你知道，我对你的痛苦与喜悦感同身受。我期待着在月球上再次看到你。但请不要止步于此。火星在召唤，其他目的地也在召唤。

生日快乐，伙计。虽然我在过去不总是如此，但我现在是你卑微的仆人。

奈尔·德葛拉司·泰森
天体物理学家
美国自然历史博物馆

---

1. 以地球绕太阳公转的时间指代一年。

PERMISSION CREDITS

Every effort has been made to trace copyright holders and obtain their permission for the use of copyright material. The publisher apologises for any errors or omissions and would be grateful if notified of any corrections that should be incorporated in future reprints or editions of this book.

LETTER 3 from Carl Sagan to Alan Lomax (1977) from https://www.loc.gov/item/cosmos000113/, Used with permission.

LETTER 4 from Ann Druyan and Carl Sagan to Chuck Berry(1986) from https://www.loc.gov/item/cosmos000081, Used with permission.

LETTER 8 from 'A Cosmonaut's Letter: Gagarin's Letter to his Family, April 10, 1961' from Slava Gerovitch from *Soviet Space Mythologies: Public Images, Private Memories, and the Making of a Cultural Identity* from by Slava Gerovitch, © 2015. Reprinted by permission of the University of Pittsburgh Press.

LETTER 9 from Soviet cosmonauts to Leonid Brezhnev (1965) from Yuri Gagarin et al., 'Soviet Cosmonauts' Letter to Leonid Brezhnev, October 22, 1965,' in Slava Gerovitch, 'Computing in the Soviet Space Program,' http://web.mit.edu/slava/space/documents/brezhnev-letter.htm. Translated from the Russian by Slava Gerovitch. Reproduced by permission of the translator. The Russian original was published in Nikolai Kamanin, *Skrytyi kosmos*, vol. 2 (Moscow: Infortekst, 1997), pp. 245-248.

LETTER 10 from Roger Boisjoly to R. K. Lund (1985) from https://catalog.archives.gov/id/596263, courtesy NASA.

LETTER 13 from Alan Shepard to his parents (1959) from https://www.icollector.com/Alan-Shepard_i11118098, Used with permission.

LETTER 14 from Nellie Copeland to Dr William R. Kubinec(1985) from The Halley's Comet Project, 1985—1986: https://pascal-cofc.primo.exlibrisgroup.com/PASCAL_COFC/frhrde/alma991009243859705613 Courtesy of Special Collections, College of Charleston Libraries, all rights reserved.

LETTER 16 from Geraldyn 'Jerrie' Cobb to US President John F. Kennedy (1963) from https://www.jfklibrary.org/asset-viewer/archives/JFKWHCNF/0515/JFKWHCNF-0515-002. Used with permission of the Estate of Jerrie Cobb.

LETTER 17 from Valentina Vladimirovna Zorkina to Valentina Vladimirovna Tereshkova. (1963) from Roshanna P. Sylvester, 'You Are Our Pride and Our Glory!' Emotions, Generation, and the Legacy of Revolution in Women's Letters to Valentina Tereshkova in *The Russian Review*, vol. 78, Iss 3, July 2019, with permission from Wiley via the Copyright Clearance Center.

LETTER 21 from Stanley Kubrick to Arthur C. Clarke (1964) from https://twitter.com/StanleyKubrick/status/980051800828112896, Used with permission from Christiane Kubrick and Stanley Kubrick Film Archives LCC.

LETTER 22 dated May 1962 from Marion Carpenter to Malcolm Carpenter from 'Letter dated May 1962 from Marion Carpenter to Malcolm Carpenter' *For Spacious Skies: The Uncommon Journey Of A Mercury Astronaut* by Scott Carpenter and Kris Stoever. Copyright © 2002 by Scott Carpenter and Kristen C. Stoever. Reprinted by permission of Houghton Mifflin Harcourt Publishing Company. All rights reserved.

LETTER 24 from Julian Scheer to George M. Low (1969) from https://historical.ha.com/itm/explorers/first-words-spoken-on-the-moon-neil-armstrong-s-personal-copy-of-an-internal-nasa-document-regarding-whether-to-coach-him-on/a/6209-50058.s, Courtesy NASA.

LETTER 26 from Ray Bradbury to Arthur Schlesinger, Jr. and from John F. Kennedy to Ray Bradbury (1962) from https://jfk.blogs.archives.gov/2017/08/22/the-most-interesting-writer-about-the-future/, Ray Bradbury letter, courtesy of the Bradbury Estate, Used with permission from Don Congdon Associates and John F. Kennedy letter to Ray Bradbury, June 21 1962. White House Central Subject Files, Box 275, GI 2-8/B Literature, Books-Poetry (Executive).

LETTER 27 from Cara Lucy O'Connor to NASA, from https://www.irishtimes.com/news/ireland/irish-news/irish-schoolgirl-6-demands-nasa-make-pluto-great-again-1.3391792, Used with permission from Cara Lucy O'Connor.

LETTER 28 from William Safire to H. R. Haldeman (1969) from https://catalog.archives.gov/id/6922351, Series: H. R. Haldeman's Files, 1/20/1969 4/30/1973 Collection: White House Staff Member and Office Files (Nixon Administration), 1/20/1969–8/9/1974.

LETTER 29 from Neil Armstrong to James Whitman (2005) from Neil A. Armstrong Papers, Purdue University Archives and Special Collections, Purdue University Libraries, Used with permission.

LETTER 30 from Neil de Grasse Tyson to NASA (2008) from https://www.facebook.com/notes/neil-degrasse-tyson/an-open-letter-tonasa/10157454721411613/, Used with permission from Dunow, Carlson & Lerner Literary Agency, Inc.

企 鹅 图 书
Penguin Books

出品人 **赵轩**
策划编辑 **郭宇萌**
营销编辑 **刘芸倩 赵亦南**
设计师 **索迪**